두고 온 동심

칼라판)
두고 온 동심

발　행 | 2024년 01월 17일

글쓴이 | 고희석

디자인 | 고은혜

펴낸이 | 한건희

펴낸곳 | 주식회사 부크크

출판사등록 | 2014.07.15.(제2014-16호)

주　소 | 서울특별시 금천구 가산디지털1로 119 SK트윈타워 A동 305호

전　화 | 1670-8316

이메일 | info@bookk.co.kr

ISBN | 979-11-410-6713-7

www.bookk.co.kr

칼라판)

두고
온
동심

도레미(고희석) 산문집

사랑하는 부모님에게 이 책을 바칩니다.

■ 이야기를 엮으며

　살면서 겪은 소소한 이야기들을 정리하고 싶었다. 그렇게 써놓은 이야기들 중에서 시절에 대한 그리움을 주제로 하는 글을 모았다. 그 안에는 가족이 있고 동심을 찾는 술래잡기가 있다. 나의 동심 속에는 노래가 가득하여 이 또한 빼놓을 수 없었다.

　글은 진솔해야 하는데 세상에 내놓으려니 이 점이 걱정이다. 자기 연민에 빠져 글이 과장되지는 않았는지 몇 번을 훑어봐도 잘 모르겠다. 내 글을 내가 판단하는 건 어려운 일 같다.

　글을 쓴다는 건 참 이상한 경험을 하게 한다. 의미가 있어서 쓴 건 아닌데 쓰다 보니 의미들이 나타났다. 나는 몰랐다, 내 삶에 이런 의미들이 있었다는 걸. 대수롭지 않게 생각한 일들인데 더는 그렇지 않았다. 그러자 내 삶이 조금은 더 소중하게 보였다. 이러하니 글을 쓴다는 자체가 참으로 감사하다. 하나님과 우리 가족 그리고 내 글의 고향인 시산문(詩散文) 동인들께 감사를 표하고 싶다.

　책, 특히 수필을 읽는 것은 타인의 인생을 통해 내 삶의 의미와 소중함을 되새기는 일이다. 이 책이 조금이라도 누군가에게 그런 역할을 했으면 좋겠다.

2023년 2월
글쓴이

순서

▣ 이야기를 엮으며

1부

두고 온 동심

시절 이야기

짜장면집 아들

때는 1973년, 복개된 청계천 위로 〈3·1 고가도로〉가 달리던 시절이다. 청계천 거리에는 고물상을 위시로 리어카 장사들이 가득했다. 청계천 8가 시민아파트 1층에 위치한 우리 식당은 값도 싼데 양도 많이 준다고 소문이 자자했다. 짜장면 보통이 30원, 곱배기가 40원이었는데, 특히 리어카 장사 아저씨들이 단골이었다. 품질보다 양으로 승부한 아빠의 작전이 통했다.

구수한 짜장 냄새가 가득한 주방에는 밀가루 반죽을 하는 철퍼덕 소리가 하얗게 났다. 면을 뽑는 커다란 기계 아래엔 물이 끓고 있는 대형 솥이 놓여있어 기다란 봉을 당기면 면이 솥으로 바로 들어갔다. 초등학교 4학년이던 나는 신기하게 바라보다가 옅은 황백색의 면 가락을 얻어먹곤 했다. 볶음밥을 하는 화로가 두 개 있었는데 가스가 없던 시대라 모두 연탄불이었다.

요리하는 형이 둘이었는데 우리 고향(전남 신안)에서 올라온 갓

스무 살 된 청년들이었다. 형들은 우리 식당에서 먹고 자는 대신 월급 없이 일을 했다. 잠자리래야 식탁들을 한데 모아 그 위에서 자는 소위 식탁침대였다. 요리라곤 해본 적 없는 청년들이라 우리 부모님에게 배워서 요리를 했다. 엄마 아빠도 몇 년간 실비식당을 하면서 짬으로 익힌 짜장면 기술이라 고급 요리는 메뉴에 없었다. 짜장, 우동, 짬뽕, 울면, 간짜장, 냉면, 볶음밥, 잡채밥 정도.

가게는 늘 손님들로 북적댔다. 지금은 청계천이 투명하게 보이지만 당시엔 청계천을 복개하여 차도로 만들었고, 차도를 따라 즐비하게 늘어선 고물상, 양말장사, 그릇장사 등등 영세 상인들에게는 저렴하고 양 많은 짜장면이었으니 최고였겠다.

어린 내게도 당연히 최고였다. 나는 원 없이 짜장면을 먹었다. 우동도 짬뽕도 잡채밥도 자주 먹었다. 팔고 남은 것들을 처분하기 위해서도 먹었다. 울면이나 간짜장은 이상해서 먹기 싫었다. 이렇게 말하니까 혹시 열이 받거나 배가 아픈 사람이 계실지도 모르겠다. 그렇다면 정말 미안하다. 미안한 줄 알지만 솔직하게 쓸 밖에 도리가 없다. 그저 감사할 뿐이다. 요즘도 가끔 우리 직원들이 '짜장면 집에서 태어나고 싶었어' 하는 얘기를 할 때, 내가 바로 그 사람이라 하면 다들 나를 신기하게 바라본다.

이름이 양○모라는 반 친구가 있었다. 도시락을 안 싸와 점심을 자주 굶어서 친구를 자주 우리집에 데리고 와 짜장면을 같이 먹었다. 초등 3학년 청량리 식당 시절부터 4학년 청계천 식당 시절까지 한 2년 그랬다.

친구랑 우리 식당에 앉아 '엄마, 짜장면 줘' 하던 그 순간이 생각난다. 엄마는 언제나 마다 않으셨다. 그냥 우리집에 놀러 가자고 한 거라 친구는 내가 일부러 그랬는지 몰랐을 것 같다. 그 짜장면이 친구는 얼마나 맛있었을까?

그 아이 집은 제기동 경동시장 길 건너에서 작은 대폿집을 했는데, 우리 식당과는 달리 손님이 별로 없었다. 아쉽게도 4학년 말에 내가 다른 학교로 전학을 가면서 친구와 헤어지고 말았다. 네모난 얼굴의 그 친구가 그 후로 오랫동안 보고 싶었다.

나는 짜장면집 아들이라 짜장 호강을 했지만 그땐 그것이 호강인지 몰랐다. 도리어 부잣집 애들은 좋겠다, 하는 생각을 가끔 했다. 그럴싸한 집에 사는 애들이 부러웠다. 당시 내 생각에 우리집은 주방 위에 있는 다락방이었다. 거기에서 동생 둘까지 우리 다섯 식구가 생활했다. 다락은 초등학생인 나도 일어설 수 없는 낮은 방이어서 어른은 잘 때나 올라왔다. 또 그땐 전화가 있는 집이 부자였는데 우리집엔 없어서 그것도 부러웠다. 이런저런 이유로 가끔 부잣집 애들이 부러웠다. 하지만 지금 생각하니 금수저까지는 아니어도 은수저 집 아들쯤은 되었던 것 같다. 하여튼 아이건 어른이건 비교의식에는 만족이 없다.

1년쯤 지나자 짜장이 질렸다. 냄새만 맡아도 구역질이 났다. 짜장면에 짜장밥, 반찬도 짜장, 국도 짜장, 심지어는 방 냄새도 짜장이었다. 짜장을 먹으려면 세상에, 구역질이 났다.

이렇게 해서 나는 짜장을 못 먹는 짜장집 아들이 되었다. 마침 짜장이 질렸을 즈음에 이사를 가서 나는 더 이상 짜장 먹을 일이 없어졌다. 하지만 짜장 중독증은 그 후로도 5년 정도 더 나타났다. 중학교에 올라가니 구내매점에서 짜장면과 라면을 100원에 팔았다. 짜장을 못 먹는 나에게 친구들이 왜 그러냐고 물었다. 그러면 나는 아무렇지도 않게 말했다.

"나는 짜장이 질려서 못 먹어."

그날 몰매를 맞을 뻔 했다.

다른 아이들에게는 짜장이 천상의 음식이었음을 그제야 알았고 그날 이후로 입조심을 했던 것이었다! 아마 이 글을 읽는 독자라면 이런 사람도 있구나 생각할 것 같다.

이사를 가서 부모님은 식당 일이 힘들고 싫증나서 다른 일을 했으나 모두 실패하시고는 다시 식당을 차리셨다. 식당이래야 안쪽에 쪽방이 딸린 구멍가게 규모였다. 장사가 안 돼 수도 없이 이사를 다니면서 순대국집, 순두부집, 보신탕집, 찐빵집 등을 전전하셨다. 하도 이사를 많이 해서 일일이 세어 보니 서울에서만 스물 한 번이었다.

가정 형편은 늘 어려웠고 동생들과 나는 더 이상 호강을 못했다. 배달 다니느라 귀가 얼어버린 아빠와, 그 많은 파를 썰다가 눈이 매워 눈물을 흘리는 엄마의 모습을 보면서 마음이 아팠다. 실은 이야말로 세상에서 제일 큰 호강인 것을 그때는 몰랐다. 대학에 입학

해서도 부모님께 너무 쉽게 손을 벌렸다. 군대를 다녀와서야 내 스스로 학비 벌 생각을 했다. 내 입에서 엄마 등록금 줘, 하는 소리가 차마 나오지 않았던 것이다. 숱하게 아르바이트를 했고 장학금을 받으려고 잠자는 시간 말고는 오로지 공부만 했다.

엄마는 잠을 자려고 누울 때 우리에게 이렇게 말했다.
"잘 때가 지~일 좋아야."
몸이 고되어 하는 말씀이었다. 그러면 아빠의 키 작은 소리가 들렸다.
"그래도 섬보다는 낫당게."

부모님은 가게 일이 끝나도 밤늦게까지 우리 세 오누이 손빨래며 집안일을 하셨고 새벽에 일어나 그날의 장사 준비를 하셨다. 그런데도 어린 나는 엄마의 그 말이 무슨 말인지 알 듯 모를 듯하여 눈만 껌뻑거리다가 잠이 들곤 했다.

⟨이사만 스물한 번⟩

워따워따 물고기 밥 되기 싫어야
섬에서 올라와 갖은 장사를
세탁소, 10원 만두집, 20원 짜장집
뻥튀기 행상에 해수욕장 김치팔이까지

덕 본 놈은 우리 형제, 짜장이 질려
은수저 운운하던 친구들아 내 말 좀 들어보소
장사 안 되면 이사요, 잘 되면 주인이 뺏어
만두 한 개 10원인데 자식이 셋이야
불법 영업 한다고 아빠는 파출소로

잠결에 다리 아픈 엄마 맨 날 하는 말
아고 잘 때가 시상에서 지일 좋아야
그래도 섬보단 낫당게 아빠의 키 작은 소리

초등학교 다섯 개마다 처음 보는 얼굴들
왕따로 맞은 옆구리는 지금도 시려

엄마 요즘도
니들 고생시킨 게 지일 미안해야
웬 걸
어린 나야 마술이지
친구 생겨 학교 생겨 고향이 생겨
텅 빈 마음엔 좋기만 하더라.

만 화 영 화 의 추 억

TV 그만 보고 공부하라는 호통을 정말 많이 들었다. 벼락같은 불호령이 떨어지면 우리 세 오누이는 징징대며 TV를 꺼야 했다. 도대체 공부는 왜 하는 거야, 하며. 다행히 5시 전후로 하는 만화 영화 시간에는 부모님이 크게 꾸지람을 하지 않으셨다. 아마도 어린 마음을 헤아리셨음이리라.

만화 영화는 우리의 최애 프로그램이었다. 몸의 모든 감각을 만화 방송에 쏟아 부었으니까. 요일 별로 각 방송사의 만화 제목을 줄줄이 외웠다. 그래야 다음 장면을 놓치지 않고 볼 테니.

만화 가게에서 만화책도 많이 봤다. 십 원에 열 권 했던 때(초1)부터 백 원에 다섯 권 하던 때(중1)까지. 만화책을 보다가 배가 아프도록 웃기도 했고 눈이 벌게지도록 울기도 했다. 특히 종암동에 살던 8살 때 〈엄마 찾아 삼만 리〉라는 만화를 보다가 펑펑 운 기억은 잊히지 않는다.

초등학교 1학년 어느 날 하교 길이었다. 몸통만 한 책가방을 메고 신발주머니를 흔들며 터덜터덜 집으로 가다가 길거리 가게의 TV로 우연히 〈마린보이〉라는 만화 영화를 보았다. 그 뒤로 집에 가는 길이면 그게 그렇게 보고 싶었지만 그런 행운은 좀처럼 오지 않았다. 어쩌다 그런 행운이 오면 멀리 보이는 작디작은 화면이어도 너무 좋았다.

황금박쥐라는 만화 영화 주제가도 어쩌다 들려왔다.

'♬ 황금박쥐 어디 어디 어디에서 오느냐 황금박쥐 '

하고 부르면 그의 휘날리는 망토를 나도 입고 싶어 보자기를 목에 두르곤 했다. 밀가루 포대를 뒤집어 쓴 아이도 있었다. 황금박쥐 아저씨는 해골바가지였지만 언제나 내 편(?)이었기 때문에 무섭지 않았다. 목깃이 유난히 높은 그의 망토는 참 인상적이었다. 정의의 지팡이를 내리치며 악당을 물리치는 순간은 언제 봐도 통쾌했다.

일 년 뒤 우리집도 TV를 사면서 나는 더 이상 길에서 만화 영화를 고대하지 않아도 되었다. 남의 집에서 얻어만 보던 〈마린보이〉나 〈황금박쥐〉를 내 집에서 보니 얼마나 좋은지 몰랐다. 그 뒤로 종일토록 〈우주소년 아톰〉처럼 날아다니고 〈밀림의 왕자 레오〉처럼 뛰어다녔다. 주제가들이 얼마나 재미있었는지 부르고 또 불렀다. 가사 한 줄 한 줄이 어린 마음에 쏙 들어왔고 가사처럼 착하고 용감한 어린이가 되고 싶었다.

만화 영화들은 어린 내게 상상의 날개를 달아주었다. 〈철인 28호〉, 〈마징가 Z〉 같은 만화 영화를 보면서 로봇을 만드는 과학자가 되고 싶었다. 남자 아이들의 그리기 세상은 로봇 그림들로 가득했다. 내가 그려놓고도 참 잘 그렸다고 자찬하는가 하면 남자아이들끼리는 누가 로봇 그림 잘 그리나 경쟁도 했다. 만화 영화 〈요괴인간〉을 보면서 요괴도 좋은 요괴가 있나 보다 생각했다. 요괴란 단어는 말이 좋아 요괴지 실은 내가 그토록 무서워하는 귀신인데도.

그러던 중에 6학년 때(1975년) 이런 것들과는 조금 느낌이 다른 만화 영화를 보게 되었다. 바로 〈프란다스의 개〉였다. 이 만화 영화는 1872년 영국의 'Maria Louise Rame(작가명 : Ouida)'가 쓴 소설 〈A Dog of Flanders〉를 원작으로 한다. 마침 나는 동화책으로도 읽었던 터라 더 재미있게 보았던 것 같다.

털복숭이 점박이 개 '파트로슈'는 우리집에서 기르던 개 '복실이'와 꼭 닮았다. 복실이 같은 파트로슈가 '네로'와 '아로아' 사이에서 영문을 몰라 눈을 껌벅이는 장면이 나오면 나도 눈을 껌벅껌벅 했다. 이 기억 때문인지는 몰라도 이런 장면이 자주 나왔던 것 같다. 해맑고 아름다운 화보 덕인지 주인공들은 행복해 보였다. 그래도 나쁜 아저씨들과 착한 할아버지의 다툼은 속상했고 마지막에 네로와 파트로슈가 죽는 결말은 동화에서처럼 슬펐다.

이 만화영화의 주제가에 심취하지 않은 동시대인은 아마도 없으리라. 곡이 아름답고 노랫말은 상상의 나래를 펼치게 하니까. 특히 끝부분에 '하늘과 맞닿은 길'이라는 시적인 노랫말은 어린 내게 특별한 느낌을 주었다. 이런 길 어디 없나 보고 싶었고, 나도 이런 그림 같은 구절을 짓고 싶어 지금까지 아둔한 글을 긁적거린다.

만화 영화는 아이들에게 큰 영향을 준다. 특히 그들의 세계관에 이루 말할 수 없는 영향을 끼친다. 주인공의 말과 생각이 가감 없이 침투하여 아이들은 주인공처럼 말하고 행동한다. 내가 자랄 때 아이들의 주변은 만화 영화 관련된 것들로 가득했다. 책가방, 필통, 공책 같은 학습도구들의 그림은 온통 만화 주인공들로 도배되었다. 놀이도구인 딱지나 인형도 마찬가지였고 심지어는 입는 옷까지 만화 주인공들 그림 일색이었다. 그만큼 아이들 세계에서 만화가 차지하는 비중은 높았다.

그럼에도 TV 만화 영화들은 내용면에서 교육적 배려가 많이 부족했던 것 같다. 대부분의 만화 영화들은 폭력을 문제 해결책으로 보여준다. 대화나 감동을 통한 해결이란 전혀 없다고 봐도 무방할 정도다. 〈우주소년 아톰〉이나 〈바다의 왕자 마린보이〉 같은 만화도 그렇고 심지어는 〈밀림의 왕자 레오〉 같은 순정적인 만화조차 그렇다. 싸워서 때려눕혀야 정의가 구현된다. 우리의 자랑스러운 만화 영화 〈로보트태권브이〉라고 이런 면에서는 예외일 수 없다.

그래서 만화를 보는 나는 착한 주인공은 때리고 부숴도 되고, 나쁜 사람은 맞고 죽어도 불쌍하지 않았다. 자연히 우리 남자아이들은 싸움 잘하는 게 주인공이 되는 길인 줄 알았다.

결국은 이런 만화 영화를 보면서 자란 아이들의 사회는 점점 폭력이나 살인을 우습게 여기게 된다. 특히 왜색이 짙은 일본 만화인 〈요괴인간〉은 요괴를 좋아하게 만드는 마력이 있어 우려스럽다. 나도 요괴 주인공 벰, 베라, 베로를 좋아했고 손가락이 세 개 달린 그들의 손조차 흉내내고 다녔다. 을씨년스럽고 요괴 친숙감을 주는 이런 일본 만화는 당연히 방영되지 말았어야 한다고 생각한다.

이런 해로운 요소들과는 별개로 다행히 내가 본 모든 어린이 만화 영화들은 그 안에 따뜻한 인간애를 담고 있었다. 정의 구현과 약자를 위한 동정, 이웃을 향한 우정 같은 것들이다. 그래서 어린이로 하여금 선한 사람이 돼야 하겠다는 생각을 심어준다.

만화 영화의 주제가 역시 어린이의 인생에 큰 영향을 끼치게 된다. 다행히도 우리 만화 영화 주제가들은 내용의 폭력성과는 별개로 아이들에게 유익하게 작사된 것 같다. 나의 경우를 생각해보면, '맘씨 고운 고래야 정말 고맙다' 하는 가사(〈마린보이〉)는 고맙다는 가사 한 구절만으로도 고마움이라는 마음이 참 중요하구나 생각하게 했다. 또 〈요괴인간〉 주제가에 나오는 '빨리 사람이 되고 싶다'는 가사는 찡한 동정심을 내게 일으켰다.

이상의 여러 가지 면에서 볼 때, 〈프란다스의 개〉처럼 문학작품을 바탕으로 한 만화 영화는 아이들에게 무척 유익하다. 그림에도

TV로 방영된 작품은 대단히 적어서 〈피노키오〉〈알프스 소녀 하이디〉 등 몇 개 밖에 기억나지 않는다. 만화 영화란 인건비 과다로 자칫하면 파산하기 쉬운 산업이라 흥행을 염두에 두지 않을 수 없다는 측면에서, 문학작품을 배경으로 한 만화 영화가 많기를 기대하기는 어려울 것 같다.

만화 영화가 끝나면 대체로 6시나 7시였는데 이때쯤 아버지는 우리가 공부하고 있는지 확인하셨다. 그때까지도 TV라는 마법상자에서 눈을 떼지 못하는 우리에게 아버지는 '테레비 끄고 공부해라!' 하고 호통을 치셨다. 허구한 날 TV 앞에만 앉아있으니 그러실 밖에. 나는 마지못해 책을 펼쳤지만 다음 주에 억울한 네로가 누명을 벗게 될지 어떨지만 궁금해 죽겠는 것이었다.

두 고 온 동 심

　용마산은 중학생인 우리가 놀기에 적당했다. 놀 만한 곳이 별로 없었던 우리들을 산은 언제나 반겨주었다. 완만한 등산로는 물론 비탈진 바윗길이며 심지어는 벼랑길까지 낱낱이 내주었다. 동무들은 내가 산에 가자 하면 만사 제치고 따랐다. 내가 좋아서가 아니라 내 손에 든 찐빵 때문. 우리집은 분식집, 산에 놀러 간다고 하면 엄마는 늘 따끈따끈한 만두며 찐빵을 싸 주셨는데 동무들은 이걸 잘 알고 있는 것이다.

　마침내 마지막 좁은 오솔길을 올라가면 '용마산'이라고 적힌 50cm 높이의 자그마한 콘크리트 정상석이 있고 그 옆엔 348m라고 새겨진 둥그런 동산 바위가 있었는데 그곳에 옹기종기 소년들의 꿈이 모였다. 산 너머 보이는 한강을 굽이돌아 대양으로 가보기도 했고, 헬기 몰고 북으로 쳐들어도 갔다. 멀리 남산타워를 보면서

'저게 서울서 젤 높은 데래. 언제 저기 가보나, 난 대통령이 돼서 저보다 더 높은 데도 막 올라갈 거야.'

하며 솜사탕 같은 꿈을 펼쳤다.

그 후로 40년 동안 용마봉은 언제나 내 삶의 꼭짓점이었다. 용마봉에서 내 삶에 이르는 긴 동아줄을 매어 놓고 그 줄을 잡고 빙빙 돌면서 살아왔다. 대학으로, 군대로 그리고 사회로 옮겨간 나의 자취는 용마봉에서 이어진 하나의 원이었다.

저 산을 얼마나 오르고 싶었는지 모른다. 산 아래를 지날 때면 괜히 차에서 내려 기슭이라도 서성거렸다. 그런데 오늘, 40년이 지나서야 올랐다. 무심하다고, 어떻게 이럴 수 있냐고 산이 푸념한다.

흙길을 밟는데 미안하기만 하다. 함께 놀던 친구들이 잔솔 뒤에서 당장이라도 튀어나올 듯하다. 40년이라는 세월이 만들어내는 뭉클함과 다소간 느껴지는 심장박동, 절로 피는 미소, 정상을 향해 서두르는 이 총총걸음.

그런데 많이도 바뀌었다. 오솔길은 세 배로 넓어지고 군데군데 잘 만들어진 데크 길, 심지어는 태양광 핸드폰 충전소까지. 입이 다물어지지 않았다. 그럴수록 더욱 미안한 이 마음. 노래를 불러본다.

'♬ 내 놀던 옛 동산에 오늘 와 다시 서니'

노래는 심금에 파고든다.

정상 직전 마지막 오르막에 닿아서는 곧은길 놔두고 굳이 빙빙 돌게 되는 건 뭘까? 이 느낌을 더 붙들고 싶어서일까? 막상 오르면 서운하지 않을까? 과연 올라보니 얼마나 서운한지. 자그마했던 정상석은 사라지고 내 키보다 더 큰 대리석이 섬광을 번쩍이며 떡 하니 서 있다. 내 어린 날의 추억이 짓눌리고 있었다. 무슨 정상석이 국립공원 것보다도 더 크나? 이 땅의 허영심이 348m 고지까지 차오름에 한동안 망연자실했다.

다시 정신을 차리고서 두리번두리번 옛 흔적을 찾는다. 어딘가 있을 텐데. 아, 이거다! 닳고 닳은 숫자를 겨우 지키면서 누워있는 자그마한 동산 바위. 그리고 또 하나, 어딘가에 혼자 있을 두고 온 동심. 이윽고, 찾았다 찾았어! 아직 여기 있었구나, 어린 나의 동심이여!

동산 바위 곁에서 너무나 쉽게 그를 찾았다. 아니 그가 나를 먼저 찾아냈다. 우리 둘은 서로 꼭 그러안고 덩실덩실 춤을 추었다. 비장하면서도 미안한 마음 금할 길 없는데, 어찌 홀로 살았을까 저 어린것이. 아무런 원망도 없는 그여서 더욱 미안했다. 호주머니 탈탈 털어 용돈이라도 주련만.

바위 무더기 정다운 한 편에 자리를 잡고 앉았다. 산 아래 옛 마을이 중랑천을 따라 굽이굽이 흘러간다. 뜀박질하여 금방금방 내려갔었는데. 비만 오면 우산도 없이 날 찾아와서 무작정 뚝방을 걷자 했던 동네 친구, 생일이면 시모의 집에서 피디를 벌었던 종등종희교 도서실 단짝들, 만두에 들어갈 양파 대파를 써느라 눈이 벌게지시던 엄마 아빠.

몽상에 젖어보지만 현실은 많이도 변했다. 아파트 숲이 낯설고 잔디가 깔린 학교에 이르러서는 이국을 보는 듯하다. 변화야 새삼스러운 것이 아닐 테지만 여기 서서 보니 더욱 뼈저리고 아쉽다. 40년이다. 세월을 한하면 무엇 하리. 어찌 보면 내가 세월인데.

펜을 들었지만 한 줄도 적히지 않는 이 불립문자(不立文字). 나는 속절없는 쓰기를 그만둔다. 쓰는 순간 나의 동심은 퇴색될 듯하여. 갑자기 억수비가 쏟아진다. 우산이 없어 한동안 돗자리로 비를 가리는데 주위를 보니 다른 등산객들은 거의 다 우산을 준비해왔다. 이놈의 칠칠함은 예나 지금이나. 하지만 비가 고맙다. 가물어 신음하는 내 산을 적셔주니까.

일어서서는 비 갠 뒤의 청초한 이슬만 쓰다듬다가 나의 어린 생명, 그 동심을 홀로 두고 조용히 돌아섰다.

"아이야, 여기 있어다오. 내 다시 올 때까지 여기 그냥 있어다오."

매정한 나의 부탁이 산허리를 맴돈다.

찾았다 찾았어! 아직 여기 있었구나, 어린 나의 동심이여.
동산 바위 곁에서 너무나 쉽게 그를 찾았다.
아니 그가 나를 먼저 찾아냈다.
둘은 서로를 꼭 그러안고 덩실덩실 춤을 추었다.

도서실 머스마들

　학교가 파하면 운동장에 책가방 두 개를 골대랍시고 세워놓고 짬뽕공(주먹 크기의 작은 고무공) 축구를 하는 중2 머스마 넷이 있었다. 한낱 잠시의 놀이일 뿐인 그걸 이기겠다고 눈에 불을 켜고 공을 쫓는 녀석들이었다. 키가 제일 작은 녀석은 승부욕이 강해, 빡빡 깎은 머리에 땀이 휘날리도록 뛰었고, 별 승부욕이 없어 보이는, 그래서 같은 편을 하고 싶지 않았던 녀석은 이겨도 웃고 져도 웃었다. 나랑 또 한 녀석은 더우면 교복 웃도리 단추를 다 풀어 헤치고 공을 쫓아 궁둥뜀을 뛰었다. 둘은 엉덩이가 컸는데 녀석이 나보다 좀 더 컸다. 나는 얼굴은 작은데 엉덩이 큰 것이 싫었다. 녀석은 성글성글 웃으며 친구들 놀리기를 좋아했는데 마음이 여리고 착해서 그게 다투는 일은 없었고 친구 관계도 좋았다.

　넷은 축구실력이 엇비슷했지만 키 작은 녀석이 제일 잘했던 것 같다. 놈의 집중력은 대단해서 요리조리 공을 달고 다니는 모습은 공과 눈이 붙어있는 듯 했다. 녀석은 늘 한 자세로 공을 몰았다. 팔꿈치를 구부려 몸에 붙이고 손목을 꺾어 손바닥이 하늘로 향한 자세였다. 나는 녀석이 공을 몰고 올 때 '넌 나를 넘어설 수 없다. 이래 봬도 내가 초등학교 축구부 출신인데' 하며 얕잡아 봤지만 나를 자주 젖히고 골을 넣었다. 키가 좀 더 컸던 나는 자존심이 상해 엄한 책가방들을 발로 찼다. 누구 가방이든 알게 뭐냐? 승질 나는데. 에헴.

짬뽕공 축구를 한 뒤 우리는 땀범벅이 된 채 학교 도서실로 올라갔다. 중동중학교 도서실은 3층 모퉁이에 있었다. 흙먼지 가득한 책가방을 털고 중3 형들의 교실을 지나 터벅터벅 계단을 올라가면 넓은 나무문이 나온다. 도서실 입구 문이었다. 머스마들은 문을 밀고 들어가 자리를 맡아 놓고 밥을 먹으러 다시 내려갔다. 사서 할아버지가 아무 말씀 안 하시길 빌면서 조심스레. 시간은 오후 5시 반 어간, 대개는 학교 앞 문방구에서 라면을 사먹거나 저녁으로 싸온 도시락을 까먹었지만 여의치 않으면 거르기도 했다. 우리들은 거의 매일 저녁 8시나 9시까지 도서실을 이용했다.

도서실이래야 교실 두 개만 한 크기의 홀이 다였는데 머스마들에겐 넓어만 보였다. 좌우로 장의자를 붙여 만든 나무 책상이 열 개 정도 있었다. 책상은 평평하지 않고 비스듬히 삼각 모양으로 세워져 건너편이 조금 보이는 형태였다.

반대편에는 인자하면서도 무서운 사서 할아버지가 안경 너머로 우리를 바라보고 계셨다. 뒤로 빗은 흰 머릿결이 늘 단정하였고 턱이 조금 나와 나는 주걱턱이라고 생각했다. 떠드는 학생들을 혼내는 모습이 무서웠지만 우리에게는 한 번도 화를 내지 않으셨다. 오히려 저녁 9시가 되면 인자한 음성으로 이제 일어나자, 하시며 우리를 배웅하셨다. 머리를 숙이며 안녕히 계세요, 하고 인사하는 우리 머스마들이 얼마나 귀여우셨을까?

할아버지 뒤로는 진열장들에 많은 책들이 꽂혀 있었지만 짬봉공 머스마들과는 관계없는 것들이었다. 머스마들은 교과서 공부만 하기도 벅찼다. 운동 승부욕이 없다고 앞서 말했던 머스마는 공부도 승부욕 없이 하는 것 같은데 시험만 보면 학급 1등을 했고 어쩌다 망치면 3등이었다. 나는 아무리 열심히 해도 그 애 아래였다. 참 이상했다. 축구하는 거 보면 별로 머리도 좋아 보이지 않는데 성적은 최우수라니. 반면에 승부욕이 제일 강한 머스마는 공부는 열심히 하는데 성적은 좋지 않았다. 성글성글 머스마는 공부도 성글성글, 하는 듯 마는 듯 굴러갔다. 하지만 시험 기간에는 코가 책에 닿을 정도로 집중했고 그 모습이 내 눈엔 낯설게 보였다. 사서 할아버지는 우리가 졸업한 후에도 자리를 지키셨을 텐데 철없는 머스마들이 마지막 인사나 제대로 드렸는지 생각이 안난다.

각기 다른 고등학교로 진학한 머스마들은 후에 그럴듯한 대학과 회사로 갔는데 그때까지의 여정을 생각해보면 우리의 공부 출발점은 바로 그곳, 중동중학교 도서실이었다. 중학시절, 그곳은 우리들 성적의 중심에 있었고 고교 시절 역시 각기 다른 도서실들이 그랬다. 삶의 부침을 거치며 중년이 된 머스마들의 이야기꽃 중심에 그

도서실과 사서 할아버지가 있는 걸 보면 그곳은 우리들 만남의 출발점이요, 성적의 중심을 넘어서 인생의 중심 어딘가에 있는 존재인 것 같다.

매 복

최전방에서 매복을 서보니 그것은 생과 사의 갈림길이었다. 간첩이 우릴 먼저 찾으면 우린 죽는 거다. 그것은 일종의 술래잡기였다. 어릴 때 놀이를 군에서 다시 할 줄이야. 그것도 목숨을 걸고. 삶은 이렇게 알게 모르게 반복되는 걸까? 어린 날 딱지 한 장 더 따려고 고개를 처박고 진지했던 것도 훗날을 위한 예행연습이었음을 젊은 가슴들은 조금씩 알아가고 있었다.

이른 저녁을 먹고 총알과 수류탄을 장착한 후 검푸른 위장크림을 바르면 출발이다. 오늘 매복조는 2소대 3분대, 도합 10명. 너희 인생에 간첩이 온다면 이렇게 무장하고 맞이하라는 당직사관의 훈시 같은 건 귀에도 들어오지 않는다. 빨리 매복을 끝내고 싶은 마음뿐이다. 허나 고참의 말은 생생히 들어와 박힌다.

'순간만 생각하라. 내일이라는 건 없다.'

마주 보는 얼굴들에는 순간만이 스
쳐간다. 제대할 날을 생각하면 미쳐버
릴 것 같았다. 까마득한 30개월. 세월
아 구보로 청춘아 동작 그만! 고참이
물어본다. 제대 얼마나 남았나? 모릅니
다! 해야지, 26개월 15일 남았습니다! 이딴 식으로 대답했다간 골
로 간다. 군기 빠진 생각일랑 버리고 순간만 생각해야 과연 버티기
쉬웠다.

군 생활을 잘하는 또 한 가지 비결은 최선을 다하는 것이었다.
졸병 시절 나는 요령꾼이었다. 입대 전에 누가 가르쳐 준대로 한
건데 이상하게 요령을 피우면 더 힘들고 더 얻어맞았다. 바보 졸병
은 최선을 다하는 게 더 낫다는 사실을 중고참이 되어서야 알았다.
놈은 맞을 만했고 그건 큰 약이 되었다.

한의 응어리가 거칠게 숨을 쉬는 곳, 그곳이 매복지였다. 간첩이
남한의 최전방 GOP(최전방 경계초소) 철책을 뚫고 침투했다면 다
음 통과지라고 예상되는 곳. 그곳에선 숨은 전쟁이 계속되었다. 도
착하면 고참들은 크레모아라는 폭탄을 설치한다. 손잡이를 누르면
700개의 쇠구슬이 일거에 전방으로 발사되는 무시무시한 무기다.
칠흑 같은 어둠이라 작업은 더욱 긴장된다. 혹시 폭탄을 거꾸로 돌
려놓지는 않았겠지? 방향이 중요했다. 졸병은 쳐다보는 것도 무서
웠다.

'방향'이라는 단어는 실면 실수곡 중요하다고 느끼졌다. 이무리

열심히 해도 '방향'이 잘못되면 처음부터 다시 해야 했다. 이 단어는 군 생활 내내 나를 가르친 '순간'과 '최선'이라는 두 단어와 함께 내 인생의 귀중한 가르침이 되었다. 그 중요성을 더 말해 무엇하리오?

시련이란 게 그렇듯, 간첩이 들키기 쉬운 곳으로 지나갈 리 없다. 거기는 견디기 힘든 모기 소굴이었다. 병사는 분단의 아픔을 모기로 느꼈다. 모기약을 밤새 바르더라도 숙명처럼 지켜야 하는 나의 산 나의 강.

모기보다 더 독한 것이 인간이었다. 속옷만 입고 기합을 받다가 23방 물렸다. 일명 '모기시식'. 움직이면 군홧발로 찼다. 그 발이 징그러웠다. 제대 후에도 시련은 잊을 만하면 모기처럼 다가왔고 삶의 도처에서 모기시식은 계속되었다. 매복을 생각하며 이것 아니 이겨내랴 하며 버틴 적도 있었다.

여름엔 모기와의 싸움이지만 겨울 매복에 비하면 아무것도 아니다. 하얗게 얼어붙은 밤을 얼마나 떨었는지 모른다. 도착하자마자 마른나무를 꺾는 일은 나 같은 졸병의 일이었다. 불을 피워 라면을 끓여 죽기 아니면 살기로 먹었다. 간첩이 우릴 먼저 발견할 판이었으니까. 아, 그 맛, 엄동설한 매복의 참 맛, 이 추위엔 간첩도 못 온다고 믿게 했던 맛! 병사들은 사는 길을 탈법에서 찾았다. 아아, 거룩한 본능은 법보다 깊고 목숨보다 질겼다.

병사들은 저들끼리 말했다.

"눈물의 라면을 후루룩 넘겨보지 않은 이여, 인생을 논하지 말라!"

일출 한 시간 전, 새벽이 소리 없이 이슬을 가를 때 분대는 귀국의 길을 떠난다. 10kg 되는 탄통을 들고 터벅터벅 걸어가면 얼어버린 몸이 중력보다 무겁다. 불과 2시간 거리인데 길은 시련의 걸음처럼 끝이 없다.

길고도 짧은 여정, 시련. 그 거리를 줄여주는 것은 무엇일까?

'솔제니친'의 소설 〈이반데니소비치, 수용소의 하루〉에 이런 글이 있다.

'사람들은 설거지 노동을 가장 좋아한다. 누군가 먹다 남긴 것을 핥아 먹을 수 있기 때문에.'

시베리아 수용소의 가혹한 시련을 견디게 해 주는 것은 아주 사소한 것이었다. 우리에게도 추운 날의 라면이나 한 잔의 커피 같은 것이 시련의 거리를 줄여줄지 모른다. 시나브로 밝아오는 텅 빈 들판을 향해 고참들은 아직도 멀었냐고 소리소리 욕했다. 한 바탕의 욕으로도 줄일 수 있다기에.

힘들 때마다 탈영한 친구가 생각났다. 신병교육대의 마지막 행군 훈련에 그는 어둠 속 긴 대오에서 이탈했다. 부대는 발칵 뒤집혔고 밤새 수색이 진행되었다. 우리 소대원이었던 그 친구는 훈련소 치음 몇 주 동안 밤에 자려고 누우면 상체가 쿵쿵 뛰어 우리를 긴장시켰다. 한 30분 지나면 괜찮아졌는데 심장의 거센 박동에 그런 것 같았다. 그랬던 사람이라 어쩌면 행군 도중 가슴을 움켜쥐고 후미진 곳에 쓰러졌는지도 모른다. 우리는 눈물을 흘렸고 다행히 무사하다는 소식을 제대할 때쯤 들었다.

군 생활은 힘들었다. 유격, 행군, 보초, 매복, 그리고 숱한 매를 맞은 내무생활 등등. 탈영하지 말라고 당부하는 소리를 수도 없이 들었다. 시련의 아픔이 후회의 아픔보다 견디기 쉬울 것이라는 친구의 속삭임도 들려왔다.

무기 점검을 마치고 수고했다는 당직 사관의 말이 떨어지면 시커먼 볼 아래 하얀 이빨 사이로 한숨이 새어 나온다. 산야의 긴 밤에서 한숨을 토해보지 않은 이는 모른다. 이 순간이 얼마나 좋은지를. 그래, 끝은 온다. 그 어떤 시련에도 끝은 온다!

세면장으로 달렸다. 어느 날 모터 고장으로 지하수가 안 나와 세숫대야 하나에 담긴 물만으로 목욕을 해야 했다. 난감했다. 수건에 물을 적셔 몸을 씻고 위장크림을 지웠다. 다시 수건에 물을 적셔 몸을 헹구고 최후의 한 접시로 마무리했다. 이게 되는구나, 되! 감탄을 하며 내무반으로 달렸다. 이제 꿀잠이다. 매복은 이 맛이라고 고참들이 하는 소리를 꿈결에 들었다. 부디 모든 시련의 끝이 꿀잠이기를!

제대병들은 자신감에 차 있었다. 그 힘든 것 다 이겨냈는데 무엔

들 못하랴. 헌데 그것이 생애 통틀어 가장 큰 자신감이었을 줄이야! 사회생활을 해보니 모른 시련의 끝이 꿀잠은 아니었다. 아픔과 상처로 남은 뒤안길들이 그랬다. 그럴수록 자신감보다는 신중함이 더 요구되었다.

많은 경우 삶은 슬픈 어깨였다. 떨쳐내야 하기에 남은 시간들을 두고 무릎을 꿇어본다. '머언 먼 뒤안길에서 돌아와 거울 앞에 선' 시(詩) 속의 누님처럼, 나도 훗날 돌아와 그 앞에 설 수 있을지, 두 손을 모아 슬픈 어깨로 물어보고 싶다.

〈군생활 회상록〉
동료들의 제대 축하글과 군생활 추억담 등을 30쪽 빼곡하게 적었다.
〈매복〉이라는 자작시도 있다.

〈 매복 〉

땅거미 짙고 밤이 운다
전우여!
판초우의 길게 말고 마주 보는 얼굴
검푸른 위장크림 바르고
한의 응어리가 거칠게 숨 쉬는
분단의 밤 六월의 포성 사이로 가로질러
숙명처럼 지켜온 나의 산
(중략)
태양이 시나브로 동터오면
승리의 두 손을 치켜선 영상인가
새벽이 소리 없이 이슬을 가를 때
A-1 지역의 어둠도 어느덧 동과 함께 사라지면
분대는 다시 길을 떠난다
끝없는 귀국의 길을.

신림동 수몰민

아버지가 외할아버지와 함께 서울 삼양동에서 신림동까지 25km
나 되는 거리를 손수레에 짐을 가득 싣고 끌고 가신 것은 내가 4살
때, 그러니까 1966년의 일이다. 두 분이 앞에서 끌고 뒤에서 밀면
서 미아리 고개를 넘고 서울역을 지나 한강을 건너고 또 몇 개의
고개를 넘으셨다. 아침에 출발해서 저녁에 도착했다니 그 고생이란
이루 말도 못했겠다. 지금으로선 엄두도 못 낼 일이지만, 아버지 말
씀에 의하면 차도 없고 돈도 없던 그 시대의 일상이었다고 한다.

일 년 전 시골에서 상경한 아버지에게 수레의 짐은 너무나 귀한
것이었다. 그 짐은 아버지가 삼양동에서 외삼촌과 동업하던 세탁소
를 정리하면서 나온 것들로, 이제부터는 신림동에서 우리 식구들을
먹여 살릴 짐이었다. 손수레에는 몇 대의 다리미와 입식 다림대 등
세탁소 용품들이 실려 있었다

아버지의 고향은 전라남도 신안군에 있는 장산도라는 섬이다. 나와 남동생의 고향이기도 하다. 그곳엔 8대조까지의 묘가 있는 우리 선산과 논밭이 있다. 아버지는 장산 면사무소 서기를 하다가 집안의 부흥과 자식들의 미래를 위해서 상경을 결심하셨다. 그리하여 식구들보다 일 년 먼저 서울에 올라와 세탁소 일을 배운 후 신림동에 집을 한 채 지어놓고 고향에서 식구들을 데려왔다. 엄마와 나, 그리고 이제 막 세상에 나온 남동생이었다. 그리고 이 집에서 세탁소를 하려고 리어카에 세탁소 설비도구들을 싣고 오신 것이었다. 그러니 그 짐은 25km나 끌고 올만한 참으로 간절한 짐이었다.

우리 동네는 관악산 기슭에 위치한 산동네였다. 20분 걸음 떨어진 아랫마을에는 당시 25번 버스 종점과 상설 시장이 있었는데 지금의 서울대 정문 근처다. 여기에서 산 쪽으로 논밭과 언덕을 지나면 우리 동네였다. 마을은 온통 무허가 주택으로 대부분 스레트나 판잣집이었고 까만 기름종이 지붕 집도 더러 있었다. 우리집 역시 무허가였지만 동네에 하나뿐인 기와집이었다.

아버지는 집을 가정집이 아니라 상점용으로 지었는데 가게 안에 작은 방과 부엌이 딸려있는 구조였다. 유리가 많아 안이 훤히 보이는 여닫이문을 열면 옷들이 가게 한쪽에 가득 걸려있었다. 가게는 겨우 입에 풀칠할 만큼 운영이 됐지만 첫 서울 살이로는 그 만으로도 다행이었다.

세탁소라곤 동네에서 우리집 하나뿐이었기에 벌이는 꾸준했다. 세탁기도 재봉틀도 없어 부모님은 그 많은 세탁물들을 손수 빨고

꿰매고 다리셨다. 전기다리미가 없어 탄불에 다리미를 덥혀 다리다 보면 옷에 검정이 묻어 배상을 해줘야 할 일도 가끔 있었다.

　안에서 빼꼼 하니 밖을 내다 볼 수 있도록 만들어진 작은 창이 붙은 창호문을 열면 방이었다. 어두컴컴한 방 아랫목에는 먹고 싶은 냄새가 나는 밥그릇 한둘이 종일 이불에 싸여 있었고, 윗목 작은 상에는 내가 좋아하는 「원기소」가 있었다. 「원기소」는 작은 알약처럼 생겼는데 우리 형제가 건강식으로 먹는 유일한 간식이었다.

　밥 대신 수제비를 자주 먹었고 이따금 우리가 개구리를 잡아오면 엄마가 뒷다리를 튀겨주셨다. 뒷다리를 쭉 잡아 빼면 하얀 속살이 나왔는데 그걸 튀기면 참 고소했다. 생물 불쌍한 줄 모르는 대여섯 살의 소행인데 지금 같으면 못할 짓이다. 이따금 엄마 아빠가 싸우면 나는 그 옆에서 울었다. 아마도 장사일로 속이 상할 때가 많으셨을 것이다.

　마을이 서울시로부터 구획 지정이 되면서 언젠가는 강제철거를 면치 못하게 되었다. 기와집을 짓고 산지 겨우 삼 년 밖에 되지 않았는데 이사를 가야 할 위기가 닥쳤다. 서울 어디에서 뭘 하고 살아야 할지 걱정이 이만저만이 아니었다.

　집이 무허가 주택이라 값이나 제대로 받을 수 있을까 걱정했는데 고향에서 면서기 일을 봤던 아버지는 수완을 발휘해서 집값을 제대로 받아냈다. 그렇게 해서 종암동에 짜장면 식당을 차릴 수 있었다. 아버지가 이때 대처를 잘 못하셨다면 우리는 이미 극빈에 시달렸을 것이다. 현명한 아버지 덕에 오늘의 우리 가족이 있다.

세월이 흘러 20년 뒤에 신림동 옛 동네를 찾아갔지만 너무 많이 변해 찾을 수가 없었다. 그야말로 하늘 말고는 다 변했다. 산은 기슭을 통째로 내주고 훨씬 더 위로 밀려났다. 빼곡한 빌라들 틈에서 어디가 내 살던 데인지 가늠하기 어려워 아직도 남아있는 버스 종점을 기준으로 대략 위치를 추정할 수밖에 없었다. 도저히 찾을 수 없어 포기한 순간, 잔뜩 기대를 안고 그리운 동네를 찾아갔던 나는 수몰민이 되어버린 느낌이었다.

마을은 세월의 욕망에 밀려 빈대떡처럼 완전히 뒤집어져 아주 다른 데가 되어버렸다. 멀리 관악산이 세상을 허망한 듯 우두망찰 바라보고 있었다. 산기슭은 걸음마를 하는 동생과 나에게 마당을 빌려주었건만 온데간데없이 사라졌다. 아담한 계곡에선 항상 맑은 물이 흘러 우리를 반겼지만 계곡은 보이지 않고 아스팔트만 흘렀다.

오늘날, 수십 년 후 고향을 다시 찾는 사람이라면 자신이 세월의 수몰민이 되어 버렸다는 자괴감을 지니는 사람이 많을 것이다. 그렇다고 쓸고 가버린 세월을 탓할 수도 없으니……. 그리운 고향을 찾았지만 그리던 고향은 아니더뇨, 하는 어느 싯구처럼 아쉬움 못 이겨 시나 한 수 읊는다.

신림동 수몰민

산바람이 향기를 보내오기에
냄새를 따라 옛 마을에 왔다
걸음마를 달릴 때 산이 발을 빌려주었던
구수한 똥을 모아 알곡을 키우던
잔 계곡에서 물장구를 치면
개구리 서넛 같이 놀아주던

분명 여긴데 이상하다
향기가 멈춘 곳에 마을은 안 보이고
해체된 이야기만 옛 노래에 아득하다
욕망에 수몰된 나의 어린 땅이여
내 선 찻길 아래로 잔물은 지금도 흐르느냐

기슭을 빼앗기고
몸통만으로 겨우 선 관악의 뒷모습
우두망찰 바라보는 멀리 산 윗돌 하나

그리움은 향기 따라 흐르는데
아주 오지 않는 것들을 붙잡고
사나이가 운다.

아버지는 전라남도 신안의 섬 장산도에서 집안의 부흥과 자식들의 미래를 위해서 상경을 결심하셨다. 식구들보다 일 년 먼저 서울에 올라와 세탁소 일을 배운 후 신림동에 집을 한 채 지어놓고 고향에서 식구들을 데려왔다. 현명하신 부모님 덕에 오늘의 우리 가족이 있다.

청량리, 1972

1972년, 청량리 역 앞의 넓은 마당을 지나면 대왕코너라는 대형 백화점이 있었고 백화점 바로 옆 골목에 우리집이 있었다. 우리집은 밥과 분식을 파는 작은 식당이었다. 백반이 30원인가 했다. 식당 안쪽에는 우리 다섯 식구 생활공간인 두 평이나 될까 말까한 방이 있고 방 뒤로 주방이었다. 식당 2층은 어른 허리 높이의 작은 방들이 여럿 있어서 사람들이 하루에 얼마씩 내고 잠을 잤다. 훗날 부모님께 물어보니 정확한 기억은 아니지만 백 원쯤 했을 거라 하셨다.

주방에는 종업원이 둘 있었는데 아버지 고향인 전라도 신안의 섬에서 상경한 십대 후반의 형들이었다. 형들은 생면부지인 서울에 올라와 우리집에서 숙식을 제공받는 대신 월급 없이 가끔 용돈이나 받으며 일을 하다가 몇 년 지나 다른 데 취업을 해서 나갔다. 그 형들과는 먼 친척지간이어서 반평생이 지난 지금도 교류를 한다.

하루는 형들이 10살 밖에 되지 않은 나에게 주방에서 담배를 내주며 피워보란다.

"쭉 빨아."

연기가 입안에 가득해졌다.

"꿀꺽 삼켜."

나는 시키는 대로 했다가 한참동안 콜록콜록 난리가 났고 형들은 웃고 난리가 났다. 안 피운다고 주방을 뛰쳐나왔다. 그 괴로웠던(?) 기억에 지금까지도 담배를 안 피운다. 생각해 보면 형들이 담배를 안 피도록 도와준 셈이니 고마운 일이다. 담배를 끊겠다고 난리를 치는 사람들을 보면 그 형들 생각에 웃음이 난다.

역 근처에는 변변한 놀이터는 물론 산도 내도 없었다. 노느니 집 앞 골목이었고 이따금 대왕코너에 친구들과 마실도 나갔다. 6층인가에 예식장이 있었는데 하객들에게 나눠주는 선물이 가지고 싶었다. 그걸 몰래 하나 가지고 튀었는지는 잘 모르겠다. 작은 종이상자에 담긴 선물이나 둥그런 쟁반에 담긴 과자가 주로 놓였는데 몹시 탐을 낸 기억까지는 난다. 아마도 하나쯤.

그런 대왕코너에 어느 날 불이 났다. 꼭대기까지 무섭게 오르는 시뻘건 화염이 하늘까지 덮었다. 소방차들이 우리집 앞까지 온 세상을 꽉 채웠다. 우리 꼬맹이들은 집 밖에 나오지도 못해서 불보다도 사방에서 들려오는 소방차 굉음이 더 무서웠다.

초등학교 3학년이었던 어린 우리가 놀 곳은 이제 골목 밖에 없었다. 지금처럼 차에게 점령당하는 일이 없는 당시의 골목이란 온전히 우리의 놀이터였다. 비 오는 날이면 지면을 스치며 활강하는 수많은 제비를 쫓아 달렸고 날이 개이면 높은 데서만 노는 제비를 부러워하며 달렸다. '여우야 여우야 뭐하~니' 노래를 부르며 손에 손을 잡고 놀았다.

하지만 우리집 앞 청량리 588번지의 골목은 무법천지여서 어른들에게 빼앗기기 일쑤였다. 우리집 맞은편에는 '부림 호텔'이라는 근사한 호텔과 가죽 장갑을 낀 두 아저씨가 있었다. 두 아저씨는 거의 매일 호텔 앞에 나타나서 싸웠다. 처음엔 서로 잘 놀다가 결국엔 주먹다짐을 했다. 그런데 키 큰 사람이 키 작은 사람한테 항상 얻어터졌다. 어린 나는 그게 참 이상했다. 당시 영화 중엔 주먹 싸움 영화가 많았다. 영화배우 '박노식' 아저씨가 가죽장갑을 낀 주먹으로 상대방을 한 대 치면 관객들이 박수를 치던 무협의 시대였다. 그 여파로 두 아저씨도 그런 멋을 부렸을까?

그런가 하면 청량리 정신병원에서 탈출한 사람들이 우리 골목으로 자주 도망 왔는데 한 남자는 골목 담벼락에 기대어 한 손을 높이 쳐들고 하늘을 쳐다보면서 '순이, 순이' 하고 애타게 외쳤다. 그러면 사람들이 빙 둘러 구경했다. 또 어떤 아줌마는 하얗고 기다란 치마를 입고 우리 골목에서 혼자 춤을 추었다. 사람들이 둘러서서 구경하면 우리는 밀려나야 했고 얼마 지나지 않아 병원 복장을 한 사람들이 달려와 데려갔다.

밤이 되면 골목 저편으로 빨갛고 파란 가게가 수도 없이 여자들을 앞세워 줄을 섰다. 나는 초저녁이면 잠이 들어 자주 보지는 못했지만 낮에도 그런 광경이 있었다. 특히 여자와 남자가 대낮에 칼부림을 하는 일이 잦았다. 언제나 여자가 칼을 들고 남자를 쫓았다. 앙칼진 욕이 하늘을 찔렀고 우리는 무서워서 골목을 탈출하여 집으로 도망갔다. 훗날 알게 된 이름이지만 이른바 '청량리 588' 거리였다.

골목을 빼앗기면 자연히 아이들은 서로의 집으로 놀러 다녔는데 몇 집 건너에 절친 소녀의 집이 있었다. 끝이 오똑한 입술을 가진 여아였다. 유일한 동갑이었던 우리는 누가 먼저랄 것도 없이 서로를 찾았다. 주로 우리 가게에서 놀았지만 아주 드물게 소녀의 집으로도 갔다.

그 집 문을 열면 작은 마당 뒤로 기다란 복도가 나왔다. 복도는 좁았는데 좌우로 마루턱도 없는 방이 10여 개 죽 늘어서 있었다. 집이 좀 이상했지만 뭐 그런가 보다 했다. 친구는 첫 번째 방이 자기 집이라며 엄마랑 거기서 둘이 산다고 했다. 우리집 방의 반쯤 되는 작은 크기였다. 안으로 가득한 저 작은 방들이 어떠한 유형의 장소인지 어린 나로서는 알 길이 없었다. 그저 방에서 소꿉장난 축이나 할 수 있으면 되었다.

어느 날 소녀에게 말했다.

"우리 이담에 크면 결혼하자."

이 말을 했던 당시 상황을 또렷이 기억한다. 맑은 날 전봇대 앞이었다. 말하기 부끄러워 호텔 앞 전봇대 쇠줄에 매달려 몸을 늘어뜨렸다. 친구는 아주 쉽게 '응' 하고 화답했다. 전봇대가 유일한 증인이었다. 뽀뽀 같은 예물은 없었다. 하지만 철부지들의 약혼(?)은 곧 깨졌다.

어느 날 내가 말했다.

"우리 이사 가."

"언제?"

"몰라."

대화는 단순했고 언제인지도 모를 이사는 까마득 잊고 다시 놀았다. 하루는 학교에 가려는데 아빠가 나에게, 오늘 이사 가니 이따 학교로 데리러 가겠다고 말씀하셨다. 그 바람에 작별인사도 못한 채 우리는 갑자기 영영 헤어지고 말았다. 가서는 회색빛 마음으로 청량리가 저 쪽 어디래 하는 말만 자꾸 떠올렸다.

술래잡기

　어른의 눈 됨이 아쉬웠다. 그리운 초등학교를 찾아가 정문을 쓰다듬으며 운동장을 바라보면 '이리 좁았나? 아잇적엔 넓어만 보이더니' 하는 생각이 절로 났다. 정말이지 그 시절의 눈으로 돌아가고 싶었다. 서울에서 이사만 스무 번 넘게 한 우리집. 그 덕에 나는 초등학교를 5군데나 다녔다.

　이런 아이들의 공통점은 고향 같은 타향들이 사방에 깔려 훗날 술래잡기를 하게 된다는 것이다. 특히 노래를 좋아하는 나의 경우엔 정든 노래들이 동네마다 깔려있어 더욱 그러했다.

　지난 30년간 추억 속의 동네들을 확인할 때마다 얼마나 반갑고, 동시에 먹먹했는지 모른다. 정든 학교, 구슬 치고 딱지 치던 골목, 등교 길에 자전거 아저씨들한테 손을 들어 태워달라고 졸랐던 자리 등등 곳마다 그랬다. 그동안 서울의 동네란 빈대떡처럼 완전히 뒤

집혀서 수색하듯 뒤지다가 경비에게 오해를 받아 내쳐지기도 했다.

고향 같은 타향을 찾는 사람들이 가끔 느끼는 것은 자신이 세월의 수몰민이 되어버렸다는 자괴감이다. 통째로 사라져버린 동네 앞에서 아연, 웃음밖에 나오지 않는 것이다.

대개 추억을 찾는 마음은 그리움으로 시작하여 반가움으로 이어진다. 시절이란 언제나 먼 데 있으니 애잔함 역시 피할 수 없으리라. 거기까지는 그렇다 치고, 한때의 나처럼 초라함과 허무함이 밀려드는 사람도 있을까?

술래잡기를 할 때마다 돌아서는 마음 한편을 무언가가 억눌렀다. 처음에는 그것이 무엇인지 몰랐는데 어느 날 우연히 그 정체를 알게 되었다. 옛 동네에 가서 추억의 꼬마 앞에 서면 자신이 초라했다. 꼬마가 잘못 자랐다는 생각이 들었기 때문이다. 20대 초중반의 나는 방황하는 청춘이었다. 내가 맘에 들지 않았고 미래가 불안했다. 그래서 과거에 더 얽매였던 것 같다. 추억의 꼬마 앞에 설 때마다 허무했고 비에 젖은 수채화처럼 아스라이 무너졌다.

'이럴 걸 왜 찾아왔나?'

자괴감이 일었다. 그리하여 더 이상 슬픈 과거를 찾아다니지 않겠노라 다짐했다.

마침 그때 나에게 일생일대의 변화가 생겼다. 평생에 하고 싶은 일을 찾은 것이다. 그것은 이 세상의 소외된 사람들을 치료하며 살고 싶은 작은 꿈이었다. 나는 실로 제2의 인생을 시작했다. 이미 대학을 졸업했지만 수능을 다시 치루고 29살에 물리치료과에 들어갔다.

3년 동안 낮에는 학교에 가고 밤에는 과외강사 생활을 했다. 이미 큰 애가 2살인 가정의 가장이라 생활비를 벌어야 하는 상황이어서 힘든 나날이었지만 내 마음엔 행복과 기쁨이 가득했다. 꿈이란 준비할 때가 가장 행복한 것 같다. 돌아보면 그때가 가장 행복했었다. 얼마나 기뻤는지 학교를 오가는 길에서 마음이 붕붕 떠다녔다. 그러느라 과거에 대한 애상일랑 까마득히 잊고 살았다.

10년쯤 지나 40대가 되자 슬며시 옛 동네들이 다시 생각나는데 애끓는 마음을 견딜 수가 없었다. 그래서 그때까지 못 가본 곳들을 다시 찾아다니기로 했다. 초등 1년을 보냈던 동네인 종암동을 가보았다. '엄마 찾아 삼만리'라는 만화를 보다가 아마도 평생 가장 많이 앉을 함지박 눈물을 펑펑 흘렸던 곳이다.

아아, 동네는 온통 아파트 숲이었다. 너무나 변해버려 포기하듯 이방인처럼 서성이다가 마천루 사이에 운 좋게 남아있는 골목을 찾아냈을 때의 감격을 잊을 수 없다. 그 골목은 우리집으로 이어지는 100m 정도 되는 짧은 길로 어린 내가 뛰어다니던 골목이었다.

허름한 2층 건물들이 옛 그대로 남아 반백년 세월에 지쳐 축 늘어져 있었고, 나의 동심은 아직도 만화 속에 묻혀 펑펑 울고 있었다.

삶은 술래잡기다.
사람을 찾고 일을 찾고 숱한 그리움을 찾는 술래잡기다.
전에 나는 과거를 찾는 술래였다.
허나 이제부터는 다른 의미의 술래가 되련다.
과거의 친구가 그리우면 오늘의 친구를 찾아가고,
과거의 내가 그리우면 오늘의 나를 찾아가 보듬어 주련다.

그런데 문득 다가오는 것이 있었으니 예전과는 확연이 달라진 내 모습이었다. 예의 그 허무하고 쓸쓸한 감정이 일기는커녕 흐뭇한 모습으로 옛 꼬마를 바라보고 있었다. 내가 달라져 있었다. 꼬마 앞에 부끄럽지 않았다. 나는 열심히 그리고 보람 있게 살아가고 있었다. 아이는 그런대로 잘 커준 것이다.

미처 예상 못한 변화였다. 그 변화는 오늘을 사랑했기에 생긴 일이었다. 그때 알았다. 과거를 결정하는 것은 바로 오늘임을! 더 정확히 말하면 추억에 대한 감정을 지배하는 것은 오늘의 삶이었다. 오늘을 사랑해야 과거를 사랑할 수 있었다. 흔히 과거는 오늘의 이유고 밑천이라고 말하지만, 오늘 역시 과거의 이유고 밑천이었다.

그렇다. 오늘이 중요했다. 아마도 오늘이라는 것, 쉬이 무너질 모래성이면서도 빛나는 고갱이 한 둘 가진 그런 것이리라. 오늘을 사랑한다는 것은 무너질 모래성조차 사랑하는 것이다. 모래성이라고 자책하기보다는 반성하고 다시 세우는 일이다. 동시에 자만하지 말고 나의 고갱이를 지켜내야 하는 일이리라.

겨우내 낙엽을 모아 태웠다. 생의 마지막 냄새가 이토록 향기로움은 그들이 매임을 끊었기 때문이다.
나에게 부탁한다.
"그리움일랑 소중히 간직하되 이제 더는 얽매이지 말다오. 지난날의 포로나 되자고 태어난 게 아니지 않느냐?"

삶은 술래잡기다. 사람을 찾고 일을 찾고 숱한 그리움을 찾는 술래잡기다. 예전에도 그랬고 앞으로도 그러할 것이다. 전에 나는 과거를 찾는 술래였다. 허나 이제부터는 다른 의미의 술래가 되련다. 과거의 친구가 그리우면 오늘의 친구를 찾아가고, 과거의 내가 그리우면 오늘의 나를 찾아가 보듬어 주련다.

난쟁이 개혁

　군대를 마치고 복학하였을 때니까 30여 년 전 일이다.

　버스비를 아끼려고 전철역에서 학교까지 걸어 다녔는데 도중에 자그마한 골목시장이 하나 있었다. 어느 날 그 앞을 걷다가 어떤 사람이 동냥하는 모습을 보았다. 키가 초등학교 5, 6학년 쯤 되어 보이는 남자 어른이 너저분한 모습으로 앉아있었다. 난쟁이였다. 나보다 나이가 10살은 더 들어 보였는데 왠지 그냥 지나칠 수가 없었다. 2월 초라 날씨는 추운데 주저앉아있는 모습이 처량하여 밥이라도 한 끼 사드릴 요량으로 인사를 건넸다.

　"아저씨, 제가 밥 사드릴 테니 같이 식당에 가실래요?"

　그는 다소 놀란 표정을 하다가는 이내 일어서서 나와 함께 인근 식당에 갔다. 몸에서 퀴퀴한 냄새가 났지만 옷이 좀 허름할 뿐 마구 난잡한 모양새는 아니어서 다행히 식당 분위기를 해치지는 않았다. 돈이 얼마 없어 국수를 사드렸는데 먹는 내내 그는 아무 말이 없었다.

우적우적 먹는 모습을 보면서 나도 그냥 묵묵히 그릇을 비우고 있었다. 맘속에는 많은 말이 떠올랐지만 어떻게 이야기를 꺼내야 할지 몰라 주저하다가 따뜻한 국물이 2월의 추위를 녹일 즈음 나는 기어이 이야기를 꺼내고야 말았다.

"아저씨, 이렇게 동냥만 하실 게 아니라 뭐라도 해보시지 그러세요."

그는 키는 작았지만 신체에 큰 이상은 없는 듯 보여서 그럭저럭 무슨 일이라도 할 수는 있겠다 싶었다. 그는 내 말을 듣더니 고개를 절레절레 흔들며 돈이 없어서 아무 일도 할 수가 없단다. 며칠 안 씻은 듯 거무튀튀한 얼굴엔 아무런 희망도 보이지 않았다.

그래도 할 수 있는 일을 생각해보시고, 생기거든 도움을 드릴 테니 찾아오시라고 연락처를 알려주었다. 당시 나는 그 근처의 자그마한 교회를 다니고 있었는데 일요일 11시에 그리로 오시면 날 만날 수 있다는 말씀을 드렸다. 그는 고맙다는 인사와 함께 자리에서 일어섰다.

일요일, 혹시 그가 올까 하여 교회 앞을 서성거리는데 저만치서 정말로 오는 게 아닌가. 참 반가웠다. 허름한 복장이었지만 그래도 나름 단정한 차림이었다. 예배를 드리겠다고 하여 함께 2층으로 올라가서 신을 벗었다. 당시 그 교회는 장판 바닥이어서 신을 벗고 예배를 드려야 했다.

그는 신을 벗더니 주머니에서 비닐봉지를 꺼내 자기 발을 싸기 시작했다. 나는 깜짝 놀라 이러실 것 없다고 하였지만 자기는 발 냄새가 심해 남에게 피해를 준다면서 두 발을 비닐봉지 안에 넣어 묶는 것이었다. 아닌 게 아니라 그의 발 냄새는 고약했다.

비닐봉지를 묶은 채 걸어가는 뒷모습이란 남 보기 민망스러운 장면이었다. 그래도 부끄러움을 개의치 않고 남을 배려하는 그의 맘이 가슴 깊이 전해져 왔다. 예배 도중 이따금 진한 발 냄새가 느껴졌지만 나는 이미 그 착한 마음에 감동을 받아 감각이 무뎌진 상태였다. 난쟁이 거지, 그 낮은 자의 깊은 배려라니.

그렇더라도 아까 그 모습은 정말이지 무슨 코미디였다. 세상에 이런 모습으로 예배를 드리는 사람이 또 있을까. 50명 안팎의 성도들 속에 그는 외딴 섬처럼 갇혀있었다. 예배 중 부스럭거리는 소리가 간간히 들려올 때마다 그에게 미안했다. 괜히 교회로 오라 했나? 예배는 평상시와 다름없이 진행되었고 우리는 예배를 마치고 부리나케 밖으로 나갔다.

"구두닦이를 하려고요."

함께 점심을 먹으며 들은 이 말에 26살의 풋 청년은 또 다시 감명을 먹었다. 나는 속으로 생각했다.

'아, 이이가 이제 삶의 희망을 가지겠구나.'

5만 원은 드려야 하겠기에 돈이 좀 부족하니 이따 만나자 하고는 그와 헤어졌다. 그날 저녁, 빌린 돈 포함 가진 돈 모두를 그에게 주었다. 학생인 나는 당시 한 달 10만 원짜리 아르바이트를 하고 있었고 교내식당 밥이 한 끼 500원이었을 때였다. 그는 거듭 감사하다며 구둣솔이며 구두닦이 통 같은 것들을 장만해서 다시 그 동냥 자리로 오겠다고 하였다. 그곳에서 일을 시작하겠다는 것이었다.

그러나 다음날, 그 다음날 그리고 또 며칠이 지나도 그는 보이지 않았다. 교회로도 오지 않았다. 전철역을 위시해서 인근을 다 돌았지만 어린 나를 감동시켰던 그는 끝내 보이지 않았다. 이럴 수가!

며칠 전, 당시 일기장을 뒤적거리니 상세한 내용은 없고 사후 느낌만 몇 자 적어놓은 것이 나온다. 일기장 속의 20대 청춘은 그 돈이 그에게 밥과 옷을 제공해 줄 수 있다면 그것에 만족한다고 자신을 위로하면서도, 그토록 감동했던 이에게 속은 것에 분이 나있었다. 또한 가장 낮은 곳에서조차 거짓이 난무하는 그런 세상에 울고 있었다.

그 후로 30년 동안 나는 그 난쟁이 거지가 변화의 시작점이라고 생각하며 살아왔다. 새 정권이 들어서서 개혁을 외칠 때마다 아래로부터, 나와 그 난쟁이 아저씨를 포함한 국민 한 사람 한 사람부터 바뀌어야 함을 통감했다. 국민성이 뒷받침되지 않으면 법과 제도의 개혁도 공염불일 것이다.

얼마 전 대통령이 또 새로 탄생했다. 부정부패가 없는 공정한 대한민국을 외치고, 최저임금을 대폭 인상하겠다고 하는 등 국민이 고루 잘사는 나라를 만들겠다고 하여 기대를 걸어본다. 하지만 시간이 흐를수록 그 난쟁이 아저씨가 더욱 생각남은 어쩔 수 없는 나의 병인가 보다.

신의 음성

　친구의 권면으로 교회를 다니게 되었다. 고2때 일이다. 그는 평일에도 기도하러 교회를 간다 하여 학교를 마치고 그의 교회로 따라 갔다. 생전 처음 기도라는 걸 하려고 교회 마룻바닥에 무릎을 꿇었다. 하나님에 대해서는 '하' 자도 모르지만 뭐라도 기도를 해야 했기에 하나님, 하고 첫 운을 떼었다. 그런데 가슴 깊은 곳에서 무언가 기둥 같은 줄기가 솟구치더니 눈물이 마구 흘렀다. 이게 무슨 일인지 생각할 겨를도 없이 엉엉 눈물이 '터졌다'. 아마 30분 정도 운 것 같다. 마룻바닥이 흥건해졌다. 나는 좀처럼 눈물이 없는 인간인데 이 어찌된 영문인가?

　기도를 마치고 자리에서 일어서는데 가슴이 개운했다. 내가 왜 울었는지도 몰랐지만 어이없다는 생각이 들기는커녕 속이 뭔가 후련했다. 이 일은 교회를 다니기로 마음을 먹고 교회에 들어선 첫날에 벌어진 일이었다. 그때부터 하나님이 좋아져서 하교 길이면 교회에 들러 기도하고 집으로 갔다. 그때마다 알 수 없는 어떤 힘이 나를 울게 했고 울고 나면 평안하고 행복했다. 교회에서 예수라는 분을 가르치는데 전혀 거부감이 일지 않았다. 논리적으로 따지기 좋아하던 내 모습은 사라지고 나는 교회 아니 예수에게 소위 '매몰'되어갔다.

1년 반 뒤, 대학을 선택해야 하는 순간이었는데 신의 음성을 들었다. 내가 '사명자'라는 음성이었다. 이에 대한 상세한 얘기는 너무 장황해지므로 이 글에서는 하지 않겠다. 어쨌든 너무나 놀란 나는 교회 측에 이게 무슨 말이냐 물었다. 그랬더니 돌아온 답변은 신학을 하라는 말이라 한다.

도무지 말이 안 되는 상황이었지만 나는 순응했다. 거세게 반대하는 부모님으로부터 간신히 허락을 받고 서울 사당동의 총신대학에 입학해서 3년간의 군대 포함 7년에 걸쳐 학교를 다녔다. 솔직히 말해서 갑작스러운 결정이라 그 후로 내가 과연 목사를 해도 되는지 숱하게 고민을 하면서 방황과 번뇌의 시간들이 이어졌지만 신의 음성을 거역하지 못해 끝까지 다녔다. 그리고 마지막 목사 코스로 신학대학원을 준비하던 중이었다.

어느 날 벼락같이 다가오는 깨달음이 있었다. 슈바이쳐 박사처럼 어려운 사람을 치료하는 일을 하면 좋겠다는 생각이었다. 마치 신의 음성인 듯 온 몸에 전율이 돌았다.

나는 또 순응했다. 28살에 다시 입시공부를 하고 수능을 거쳐 고 려대 병설 보건전문대의 물리치료과에 입학했다. 그 후로 사회복지

시설에서 거의 30년간 물리치료를 했다. 월급쟁이에 불과했지만 사명인 듯 일했다. 이 과정에 물리치료 외에 다른 직종이나 직책의 선택지가 있었지만 모두 마다하고 이 일만 했다.

이렇게 얘기하면 내가 신앙의 고수인 듯 생각하는 사람이 있는 것 같은데 이 자리에서 밝히지만 실은 나는 이 몇 번의 신의 음성 사건을 빼면 그다지 신앙이 투철하지 않다. 가끔 친구들과 술도 마시고 당구며 포카도 친다. 성경읽기나 기도생활 등 신앙의 미세한 부분에서 그다지 철저하지 못하다.

그런데 일단 신의 음성이라 믿어지면 도대체 말도 안 되는 상황에도 순응하는 이상한 사람이다. 신학대학을 가기 전 나는 육군사관학교 시험에 필기와 실기(체력, 적성검사) 모두 합격했다. 1981년 당시에 육사는 서울의 SKY대 수준이었다. 하지만 면접에서 떨어지고 대학을 고민하던 중, 가고 싶은 학교를 포기하고 신학대학에 갔다. 대한민국 최고의 신학대학에 가서 최우수 장학생으로 최고의 목회자의 길이 보장되었던 신학생이었지만 다시 물리치료사를 선택하여 일개 월급쟁이가 되어 낮은 자리에 있다. 이런 연고로 나는 한동안 친척이나 지인들에게 이해 못할 사람이었다.

그런데 신의 음성에 순응하면 그때부터 삶의 모든 영역이 행복해졌다. 그게 손해가 되건 이익이 되건 그랬다. 그래서 나는 비교적 행복하게 살아온 사람인 것 같다. 최근 또 한 번 신의 음성을 듣고 나는 무조건 순응하여 교회 성가대 지휘자로 일하고 있다. 전공도 아닌 인간이 수년째 이 일을 하는 근본 이유이다. 하고 싶어 하는 일이 절대 아니지만 같은 이유로 나는 행복했다.

　돌아보면, 신이 내게 이런 지시를 내린 이유는 나라는 그릇이 거기까지이기 때문이라는 생각이다. 어릴 때부터 나는 큰 그릇이 싫었다. 큰 그릇이 되라는 말을 들을 때마다 대신 깊은 그릇이 되겠다고 생각했다. 인생을 크게 살기 보다는 깊게 살고 싶었다. 그래서 그릇이 작아져 작은 인물 밖에 되지 못했고, 대신 한 가지 일만 파고 살아왔다.

　만약 내가 욕심을 내어 신의 지시를 무시했더라면 내 그릇들은 와장창 깨졌을 것이다. 혹시 세상의 저명한 인사가 되어 넥타이 깨나 맞춰 입었을지는 몰라도 나는 불행의 언저리 어딘가에서 지금 헤매고 있을 것이다.

친숙한 목소리

전철 칸은 한산했다. 내가 앉은 줄에는 아무도 없었고 앞줄에 두 사람, 저쯤에 여럿. 통틀어 이 칸에는 15명 내외가 있었다. 썰렁한 12월이지만 전철을 타니 따뜻했다. 두터운 외투를 벗으려고 일어섰다. 그때 뒤에서 귀에 익숙한 목소리가 들려왔다. 나는 외투를 벗다 말고 아는 사람이 왔나 고개를 돌아보았지만 없었다. 그때 다시 들리는 그 목소리,

"따어뜻탄 장갑이 이이 천 워언!"

적막을 깨고 한 사내가 낯익은 목소리로 장갑을 팔고 있었다. 계속되는 그 소리는 분명 뇌성마비 억양이었다. 말을 한다기보다는 말을 뱉는다는 표현이 어울리는 드센 소리, 뚝뚝 끊어지는 음절과 거센 억양, 띄어쓰기를 무시하며 글을 읽는 듯한 어긋남, 호흡근에 더욱 힘을 주어야 언어를 꺼낼 수 있는, 듣다 보면 내 숨이 막힐까 봐 내 호흡에도 힘을 주게 되는 그런 억양이 들려왔다.

얼굴을 보니 아는 사람이 아니었다. 그런데 이토록 친근하게 들려오다니! 비록 장애인들과 함께하는 일을 하고 있지만 이 억양이 전혀 외지에서 이렇게 가깝게 느껴질 줄은 정말 몰랐다. 그와 내가 마치 한 가족인 듯한 느낌. 다시 그를 자세히 바라보았다. 부자연스러운 몸짓을 보아 분명 뇌성마비이다. 나의 손과 다리를 묶어버린 시간이 1분 정도 흘렀을까, 그와의 친숙한 느낌이 잠시 허공에 떠서 둘 사이를 오갔다.

뇌성마비인을 처음 보았을 때가 생각난다. 다가가기 무서웠다. 그런 내가 변해있구나. 사회복지를 한답시고 무턱대고 찾아와 장애인들과 생활한 지도 15년이 되었는데 오늘처럼 친근함을 느끼게 되니 그 세월이 내게 정을 남겨주었나 보다. 다행이다. 오늘 만약 그렇지 않고 무심하게 느껴졌다면 나는 필시 자책하고 있겠지.

사람들이 그의 장갑을 사준다. 세 사람이 사고 있다. 추운 이 겨울에 따뜻한 모습, 이 칸에 통틀어 몇 사람 되지도 않는데, 이곳 용문의 인심이 좋은가 보다. 이 사회에 훈훈한 정이 많이 남아있구나. 나는 그 사람들이 고마워지고 있다. 그가 다가오기를 기다렸다. 그의 커다란 가방 속엔 빨간색, 검은색의 손가락 털장갑이 비닐 안에서 예쁘게 반짝였다.

이천 원짜리 장갑을 이렇게 반갑게 사 보기는 처음이다. 평소와는 달리 빨간 장갑을 달라 하였다. 좀 색다르게 간직하고 싶어서다. 그는 돈을 받고는 무뚝뚝한 표정으로 급히 돌아선다. 장삿길이 바쁜 가 보다. 그에게서도 나를 향한 친근한 감정을 기대하기란 무리겠지. 내 마음을 아는지 모르는지 그는 다음 칸으로 갔고 우리의 만남은 그것으로 끝이었다. 다음 칸에서도 이어지는 익숙한 억양, 저쪽 칸에서도 좀 사줘야 할 텐데.

뇌성마비는 대개는 선천적으로 뇌의 일부 기능이 마비된 질환이다. 지적(知的) 장애를 동반하는 경우가 많다. 보행이 불가능한 경우도 있고, 걸을 수 있다 해도 몸의 균형이 맞지 않아 뒤뚱거리거나 더 심하면 휘청거리며 걷는다. 어깨의 움직임이 보행과 잘 연결되지 않아 한 팔을 어색한 높이에 두고 휘저으며 걷게 된다. 오늘 본 분은 그래도 뒤뚱거리는 정도의 경미한 증세였다.

이런 이유로 인해서 처음엔 다가가기가 쉽지 않지만, 단 10분만 대화를 나누어보면 금방 친숙해진다. 가식이나 숨김이 없고, 화를 내도 오래 품지 않는다. 쉬이 화를 내지만 다가가 손을 잡으면 그 자리에서 풀어지는 단순함이다. 사람을 서로 묶는 줄은 외양이 아니라 마음임을 알게 해주는 분들이다. 다 큰 어른의 그 환하게 웃는 모습을 보노라면 그 천진스러움에 보는 이는 아이처럼 마음이 벙글어진다.

뇌성마비인이 저리 열심히 돈을 버는 모습을 많이 못 보았는데, 저분 장사가 방금처럼 잘 됐으면 좋겠다. 행여 단속에 걸려 장삿길이 막히지 않기를 빌어본다.

2부

아빠 우리 부자 된 거야?

가족 이야기

새 동 네 풍 경 셋

풍경 하나

"진도오~찜! 진도오~찜!"

문산 행 기차를 타면 이 소리가 들려왔다. 덜커덩거리는 열차 소음 사이로 이 소리는 열차의 저쪽 칸에서 시작하여 점점 가까워지다가 내 앞을 지나서 다음 칸으로 갔다. '진도찜'이 뭘까? 궁금해서 바라보니 할아버지 한 분이 기차에서 김 행상을 하고 있었다. 턱수염이 조금 있고 키 작고 깡마른 체구에 허리가 약간 굽으신.

장사래야 손에 까만 김 뭉치 몇 봉 들고 다니는 게 전부다. 할아버지는 노래를 부르듯이 '진도 찜'을 외쳤다. 특히 찜에서 억양을 높였다. 김을 찜이라고 부르는 건 처음 들어봤다. 신노에서는 김을 찜이라 하나? (이 글을 쓰면서 알아보니 진도 사투리는 아니고 김의 옛말이라 한다.) 이 독특한 어휘는 묘한 중독성이 있어 기차를 탈 때마다 할아버지의 등장을 기대하게 만들었다.

신촌과 문산을 오가는 비둘기호 열차는 시외버스와 함께 그 지역의 가장 일반적인 교통수단이었다. 일산 신도시 개발에 막 착수한 때(1990년)라 전철은 아직 없었다. 다섯 량짜리 비둘기호는 역마다 정차하였고 언제나 승객이 많아 서서 가기 일쑤였다. 승객 중에는 통학하는 학생들이 제일 많았고 그밖에 회사원이나 볼 일 보러 서울 나가는 사람들이 주를 이루었다. 농기구를 든 아저씨나 보따리를 든 아주머니들도 자주 보였다.

'진도~찜, 진도~찜'

처량하기도 하고 구수하기도 한 소리였다. 노인이 기차 행상을 한다는 게 처량했고, 동시에 노인이 내는 사투리(그때는 진도 사투리로 알았다)라서 사투리의 구수함이 더했다. 진도 찜이라니, 살며시 미소가 나오면서 반가웠다.

할아버지는 김을 높이 들고 승객들 사이를 천천히 지나갔다. 사람들은 할아버지를 귀찮아하지 않는 것 같았다. 땅콩 오징어 따위를 작은 수레에 싣고 오가면서 장사하는 역무원이 있지만 할아버지를 제제하지 않았다. 하지만 다른 열차 행상이 전혀 없는 걸 보면 아마 다른 사람에게는 제재를 하는 것 같았다. 아마도 할아버지의 진도 찜 장사는 이미 이 지역 사람들에게 익숙해진 하나의 풍속인 듯 보였다. 이제 막 이 지역으로 이사 온 나는 이 모든 광경에 구수한 미소가 절로 났다. 나는 신촌에서 문산 사이 중간쯤 되는 〈일산역〉에서 내려 집으로 갔다. 때때로 손에 까만 김을 한 봉 든 채로.

풍경 둘

일산의 탄현동 주공 임대아파트에 당첨되었다. 결혼 1년 전의 일이었다. 입주 시점에 맞춰 결혼식을 올렸고 당연히 신혼집을 여기에 꾸렸다. 아파트는 5층이었다. 12개 동이 모두 13평으로만 구성된 서민 임대아파트였다. 보증금 300만 원에 월 5만 원씩 내면서 5년간 살면 분양받을 수 있는 조건이었다. 아파트에 살아보기는 처음이었다. 결혼하자마자 아파트에 살다니 나는 제법 도시민이라는 생각이 들었다. 서울에서 25년을 살다 왔지만 그때까지만 해도 시골로 왔다는 생각은 전혀 들지 않았다.

전입신고를 하려니 동사무소에서 이장님에게 도장을 받아오라 한다.

'엉? 이장? 여기 동인데? 이 무슨 뚱딴지같은?'

서울서 통장, 반장이라는 말만 들었다가 이장이라는 말을 들으니 낯설다. 시골 냄새가 난다. 붙어붙어 댁을 찾아가니 이상님은 없고 아들이 나온다. 도장을 찍기 전에 이세를 내라 한다. 이세라는 것도 있나? 이것도 낯설었다. 게다가 이걸 해마다 내야 한다. 실은 그 뒤로 한 번도 안 냈지만.

이천 원인가 하는 이세를 내니 영수증을 주고 서류에 도장을 찍어준다. 이장 일은 온 가족이 하나? 이거 꽤 돈이 되나 본데? 생각하면서 동사무소에 가서 전입신고를 끝냈다. 궁금했다. 이 마을은 동장 위에 이장이 있는 걸까?

그러자 이사 온 곳이 다르게 보였다. 사실 내가 살 집인데도 사전에 답사 한 번 안 왔다. 서울서 여기 오는 교통편도 어려웠고 무엇보다도 주공아파트니까 안심을 했다. 결혼식 준비하느라 진이 빠져서도 그랬다. 집은 탄현동 최외곽으로 기차역에서 일직선으로 20분 걸어야 나온다. 집까지 오는 길은 상가가 즐비하지만 집 뒤로 보이느니 모두 논밭이다. 계속 가면 금촌, 파주, 문산이요 또 북한인데 아마도 거기까지 전부 논밭이리라. 멀리 개천 너머에 '홀트 아동복지센타'라는 곳이 보였다. 슬슬 시골에 왔다는 생각이 들었다.

교회를 새로 나갔다. 당연히 동네 교회다. 예배 후에 연세가 지긋하신 할아버지가 나와 광고를 한다. 기차에서 보았던 김 장사 할아버지처럼 키가 작았다. 교회의 장로라 한다. 300명 정도 되는 교인들 앞에서 차분히 광고를 마치시는가 싶었는데 갑자기 야단조의 말씀을 한다.

"아니 여러분, 작년에도 헌금을 천 원 내더니 올해도 똑같이 천

원을 내면 어떡하자는 겁니까?"

속으로 얼마나 웃었는지 모른다. 뒤에 계신 목사님도 웃으신다. 그동안 서울에서 들었던 광고들은 이에 비하면 격조(?)가 높은 류였다. 서울의 교회에서 이런 말을 한다는 건 상상도 할 수 없다. 뭐, 그렇다고 이 할아버지 장로님의 말씀이 격조가 낮다는 건 아니다. 순수하고 천진스러운 말씀이었다. 서로 잘 통하는 사람들끼리 주고받을 수 있는 이야기였다. 그만큼 이 교회 사람들이 오랫동안 서로 잘 알고 지내왔다는 뜻이렷다. 조금 고쳐 말하면 토박이 텃세가 있는 시골이라는 뜻일지도 모른다.

그런데 가장 낯설었던 것은 전혀 다른 곳에 있었다. 당시 나는 학생들을 상대로 그룹과외를 했는데 몇몇 중학생들로부터 너무나 뜻밖의 이야기를 들었다.
"어떻게 선생님들이 학교에서 패싸움을 해요?"
말도 안 되는 소리 하지 말라 했더니, 아이들은 손을 휘휘 저으며 아니라며, 낮술을 먹고 학교 뒷산에서 선생님들끼리 집단으로 싸웠다 한다. 그것도 학생들이 학교에 있는 데도. 이게 사실이라면 있을 수 없는 일이었다. 아이들도 어처구니가 없는지 혀를 찼다. 덧붙여 말하기를 복날에는 뒷산에서 개도 잡아먹는다며 그간의 일들을 일러바친다.
서울, 그것도 8학군에서 고결한 선생님들만 봐 왔던 나로서는 충석석인 사선틀이었나. 서울과 시골의 학교 수준이 이렇게 나드던 말인가? 그렇다면 나를 가르친 선생님들은 얼마나 훌륭했다는 말인가? 그것도 모르고 오리궁둥이니 참새둥지니, 선생님들 별명을 불러댔으니 아이고 죄송해라!

이 사건은 충격이었지만 그 후로 그런 이야기는 없었다. 아마 일부 선생들의 행태였을 것이고 그런 사람들은 도태되었는지 오히려 그 후로 좋은 학내 분위기에 대한 이야기를 많이 들었다.

풍경 셋

공항 방면에서 버스를 타고 행주대교를 건너 우리집으로 가려면 일산 신도시 예정지를 대각선으로 통과해야 했다. 1990년, 신도시 개발을 시작했을 때였다. 한강을 건너면 논밭이 주욱 펼쳐지다가 갑자기 흙 천지 벌판이 나타났다. 막힐 것 없는 넓은 벌판에는 앙상한 흙바람이 길게 날렸다. 눈이 쌓이면 하얀 지평선이 아득히 멀리서 하늘과 맞닿아 감탄을 자아냈다. 신도시 예정지는 그야말로 광활한 대지였다. 수평선은 본 적 있어도 지평선은 본 적 없었는데 여기서 처음 봤다. 이래서 여기에 신도시를 짓나 보다 생각이 절로 들었다.

이런 풍경과는 달리 버스를 타고 지나가면 앙상한 개발현장의 민낯들이 속속 드러났다. 어떤 집들은 완전히 철거되어 구획이 평평하게 정리되었지만 깨부숴진 벽돌들이 흩어진 채 벽채만 남은 집들도 많았다. 그리고 그 집들 사이로 개발 반대 구호가 적힌 현수막들이 계속 이어졌다.

지역 주민들은 필사적으로 반대 데모를 하는 중이었다. 현수막이 도로 양편으로 쉬지 않고 보였다. 현수막뿐 아니라 무너져 가는 벽에도 하얗고 빨간 페인트로 구호들을 써놓았다. 심지어는 이런 구호도 있었다.

"내 태를 묻은 땅, 내 해골도 묻겠다!"

섬뜩했다. 그 절실함이 생생하게 다가왔다.

이사 오기 전에 본 뉴스가 생각났다. 신도시 개발을 막으려고 몇몇 주민이 자살을 했다고 방송에서 말했다. 개발은 무엇이고 이렇게까지 반대하는 건 또 무엇인지 나는 아리송했다.

아직은 구획정비가 미진하여 버스 지나는 도로가 구불구불했는데 도중에 이상한 집이 있었다. 평평하게 다듬어진 거리 한가운데에 갑자기 언덕이 불쑥 솟아오르고 집 한 채가 덜렁 헐리지 않은 채로 있었다. 마치 커다란 능 같았다. 나중에 알고 보니 소위 〈알박기〉라는 행태였는데 그때는 몰랐다. 저 집도 개발이 싫어 저토록 반대하는 줄로만 생각했다. 사람이 살기는 사는 것 같은데 도대체 저런 불편한 상황에서 어떻게 살지 생각만 해도 아득했다.

이런 현장을 20분 정도 구불구불 통과하면 〈일산역〉이 나왔다. 여기부터는 내가 사는 탄현동이다. 우리 동네를 비롯하여 기찻길 너머 지역은 개발예정지가 아니어서 벌써부터 구 일산이라고 불렸나.

이사 와서 보니 탄현동은 거의 완전한 자립 지역이었다. 기차역과 버스 종점이 있고 아파트나 빌라 같은 거주지를 중심으로 시장, 병원, 심지어 극장까지 갖추었다. 식당, 약국, 사진관, 전파사, 음악사, 여행사 등 많은 가게들이 성업 중이었다.

우리 동네 사람들, 그러니까 개발선 너머 사람들은 계속 오르는 부동산 가격에 들떠있었다. 당연히 동네로 계속 인구가 유입되었다. 개발지역은 지금 토목공사 중인데 우리 동네는 빌라나 아파트가 속속 들어섰다. 나는 이런 정황을 전혀 모르고 이사를 왔지만 어쨌든 이 지역의 인구를 늘리는데 동조했다.

어느 날 버스 안에서 사람들끼리 하는 말을 들었다. 대충 요약하면, 개발 구획선 밖의 집값은 계속 오르는데, 구획선 안의 집값은 보상가로 동결되어 그 차이가 점점 벌어진다는 말이었다. 쉽게 말해 개발지 주택은 1,000만 원의 보상을 받고 헐리는데 바로 옆 동네 주택은 2,000만 원까지 오르고 있다는 식이었다. 개발 지역민들의 아픈 속내를 조금 알 수 있었다. 조상 대대로 살던 땅을 떠나야 하는 것도 괴로운데 집값까지 동결되니 나 같아도 시위를 했을 것 같다.

구획을 가르는 줄은 기차선로였고 그 길을 사이에 두고 좌우로 전혀 다른 세상인 것이다. 줄 하나가 사람을 지배한다는 사실이 우습기도 하고, 산다는 게 무슨 땅따먹기 장난 같았다.

과 외

사랑하는 첫째 아이가 태어나던 해에(1990년) 나는 인생의 중대한 결심을 하고 있었다. 평생에 하고 싶은 일을 하려고 대학에 다시 들어가야겠다고 생각한 것이다. 슈바이처 박사처럼 의료인이 되어 소외된 사람들을 치료하고 싶었다. 대학입시를 다시 보았고 그리고 이듬해에 〈고려대학교 병설 보건전문대〉 물리치료과에 합격해서 다시 대학생이 되었다. 1991년, 내 나이 29살이었을 때다.

한 집안의 가장인 나는 생업을 걱정하지 않을 수 없었다. 할 수 있는 것은 과외 밖에 없었다. 전에도 간혹 했던 일이었지만 이제부터는 아예 생업으로 해야 했다. 동네에 방을 붙였다.

'중고생 영어 수학, 과목당 25,000원, 주 3회. 고대 물리치료과 수석입학 강사"

학과에 수석입학을 했기 때문에 이를 무기로 내세웠다. 전 학년 등록금이 면제되는 전체 수석과 달리, 과 수석은 입학금만 면제되었기에 앞으로의 학비와 생활비를 모두 벌어야 했다. 걱정이 되기는 했지만 두렵지는 않았다. 젊어서 그랬는지 경제관념이 없는 바보라서 그랬는지 모르겠지만.

일단 학생을 유도하고 봐야 했기에 다른 강사들의 70% 수업료로 방을 붙였다. 게다가 여긴 내겐 생면부지 지역 아닌가? 항의 전화도 왔다. 이렇게 싸게 받으면 자긴 어떻게 하냐는. 미안했지만 나도 다급했다.

나무판을 구해 1인용 탁자를 4개 만들어 안방에 놓았다. 며칠 지나니 어머님과 함께 중1 학생이 한 명 찾아왔고 그 어머님을 통해 한 주 만에 두 명이 더 찾아왔다. 공부를 가르치면서 더러 재미있는 옛날이야기도 해주고 부모와 수시로 통화를 하는 삼중 작전을 펼쳤다.

당연한 이야기지만 수업은 학교 공부의 예습 개념으로 했다. 언제나 학교보다 앞서서 진도를 나아갔다. 그러자 학생들은 학교 수업을 재미있어라 받아들였고 부모들도 공부에 열의를 가진 자녀를 보며 만족해했다.

놀랍게도 몇 달 만에 학생 수가 거의 세배로 늘었다. 나는 초보자였고 일류 강사도 아닌데 뜻밖에 큰 소문이 났다. 이 지역에는 과외가 활성화되지 않았나 하는 생각도 들었다.

소문이 난다는 일은 이를테면 이런 경우들이었다. 친구 성적이 급상승하는 걸 본 학생이 부모를 졸라 찾아오지를 않나, 친구의 학업 태도가 확 바뀐 걸 보고 감탄하여 찾아온 학생도 있었다. 옆집 자녀의 성적 향상을 본 학부모가 자녀를 데려오기도 했다. 중학교가 우리집 근처에 있었는데 학생들은 대부분 농가(農家)에서 버스를 타고 통학을 해서 집들이 멀었지만 꾸준히 나를 찾아왔다.

나는 기계적인 수업만 하기 싫었다. 학생들과 인격적인 관계를 가지고 싶었다. 그 방법은 다름 아닌 진심을 가지고 아이들을 위해 주는 것이었다. 내가 그들을 진심으로 걱정해주자 많은 아이들이 오랫동안 출석했다.

학교에 다녀와서 오후 5시부터 10시까지 매일 두 타임이나 세 타임 수업을 했다. 나중엔 더 이상 빈 시간이 없어서 학생을 거절하기도 했다. 주말 반, 방학 특강반도 몇 번 했다. 학생 수 변동이 수시로 발생하니까 수입이 들쑥날쑥했지만 학업과 생활을 병행하는 데 큰 어려움은 없었다.

몇 달 백수가 될 수도 있는 과외 강사의 처지건만 그런 경우가 단 한 번도 없었다. 아이가 이미 둘이었는데 만약 그런 일이 있었다면 낭패를 보았을 것이다. 대학 재학 내내 학생이 끊이지 않고 이어진 사실이 30년이 지난 지금 와 새삼스럽다. 하나님의 돌보심이었다는 철 늦은 깨달음이 부끄럽다. 성경의 정신에 부합되는 일을 찾아 새로운 길로 떠난 청년과 그 가정에게 하나님은 큰 은혜를 베푸셨다. 과연 뜻이 있는 곳에 길이 있었다.

과외를 계속하면서 학생의 성적을 높이는 비법이 생겼다. 숙제

외에 특별한 방법을 썼다. 내 수업 도중 핵심 요약지를 적어나가도록 했다. A4용지를 세로로 반 접어 반쪽씩 깨알같이 작은 글씨로 적게 했다. 중간고사 때쯤 되면 한 장이 꽉 찬다. 그러면 족집게 노트가 되곤 했다. 학교 선생님들은 이 노트를 보고 놀라곤 했다. 시험에 나오는 것도 있다고 귀띔하는 선생님도 있었다. 선생님이 이 노트를 보고 자기 머리를 쓰다듬어 주셨다고 나에게 자랑스럽게 말하던 학생의 얼굴이 떠오른다. 네모난 얼굴형의 남학생이었다. 영어 25점이나 겨우 받던 학생이었는데 이 방식으로 75점을 받고 좋아서 입을 다물지 못하던 그의 모습이 생생하다.

전교 1,2등을 다투는 아이들도 몇 명 왔다. 그 아이들은 배우는 눈빛이 좀 무서웠다. 내가 아는 지식은 전부 빼 갈 태세였다. 그중 한 명은 오히려 성적이 떨어져서 두 달 만에 그만두었지만, 여학생 두 명은 고2가 될 때까지 방학마다 찾아와 영어 수학 학습서를 한 권씩 떼고 갔다. 이 두 학생은 내가 병원에 취직을 해서 과외를 그만두었는데도 찾아와 특강을 졸랐다. 지금은 커서 어디선가 훌륭하게 살고 있을 것 같은, 보고 싶은 사람들이다.

파주 농가의 쌍둥이 형제는 그들이 부모님께 졸라서 수업을 시작한 경우다. 형편이 어렵지만 아이들이 조르는 걸 어떡해요 하던 어머님의 전화 목소리가 생생하다. 내가 수업료를 줄여줬는지는 생각이 나지 않는다. 결국 나중에 석 달 치 과외비가 밀렸다. 당시 나는 그 돈을 받아야 마지막 학기의 등록금을 낼 수 있는 상황이었다. 당시 등록금이 아마 90만 원대였을 것이다. 내가 형편을 얘기하자 결국 송아지를 팔아 수업료를 보내오셨다. 마음이 짠했지만 나는 그 돈으로 마지막 시한에야 등록금을 냈으니 눈물 담긴 사정 가득하다.

잊을 수 없는 학생들이 있다. 단짝 셋이었는데 중1부터 고1까지 긴 기간 동안 내 수업을 들었다. 집이 파주의 농가여서 버스로 30분 걸렸지만 아랑곳 않고 배우러 왔다. 공부도 열심히 했지만 같이 놀기도 많이 놀았다. 차가 적었던 시대라 아파트의 텅텅 빈 주차장에서 축구를 자주 했고 여름이면 대성리로 물놀이를 갔다. 가정의 애경사가 있으면 마다 않고 찾아갔다. 이름도 잊지 못한다.

그로부터 30년이 지난 올해(2022년) 낯선 전화가 왔다.

"선생님, 저 ○수예요."

수화기 너머 소리를 듣는 순간 그인 줄 알았다. 어느덧 나이가 40대 중반이었다. 인터넷을 통해 어찌어찌 내 연락처를 알아내서 30년 만에 연락을 해 온 것이다. 나머지 친구들도 차례로 연락이 왔다. 얼마나 반가웠는지 모른다. 다들 세월의 풍파와 싸우며 멋진 인생을 살고 있었다. 곧 만나기로 했다. 30년 만의 만남이 무척 기다려진다.

아빠, 우리 부자 된 거야?

1996년, 아내가 신림동에 있는 놀이방을 인수한 것은 그 일이 어린 세 아이들을 돌보며 할 수 있는 일이었기 때문이다. 당시 집이 일산이어서 신림동까지 오가기에는 거리가 너무 멀어 이사를 가야 했다. 살고 있던 일산의 아파트를 세놓고 놀이방 근처 다세대주택에 전세를 얻었다.

아내는 자기 동생과 함께 놀이방을 인수했기에 아이들은 엄마와 이모의 돌봄 속에 지냈다. 큰애는 초등학교에 입학하고 각각 다섯 살, 네 살이던 둘째와 셋째는 유치원 대신 놀이방에서 보육을 받았다. 그 덕에 우리 아이들은 이모와의 정이 아주 돈독하다.

나는 퇴근해서 저녁 8시쯤 놀이방에 도착하면 가족들을 데리고 집으로 갔다. 좁은 골목을 5분쯤 꼬불꼬불 지나면 11평짜리 우리 전셋집이 나왔다. 초라한 단칸방이었지만 우리는 오순도순 행복했고, 무엇보다 젊었기에 가난이 파고들 틈이 없었다. 젊음이란 그만큼 마음을 부하게 만들어주는 힘이 있다.

놀이방은 잘 됐다. 원생들이 점점 늘어났고 아내는 1년 동안 학원을 다니면서 보육교사 자격증을 취득했다. 그런데 다음 해 11월에 IMF가 터졌다. 나와 아내는 그게 뭘 의미하는지 한 달도 안 돼서 알 수 있었다. 한 달 동안 원생 열 명이 그만둔 것이다. 보육 아동이 일곱 명으로 줄어버렸다. 미취학인 우리 아이들이 두 명이니까 실은 다섯 명 남은 셈이다. 두 사람 인건비가 나오지 않아 아내가 놀이방을 포기하고 아이들 이모 혼자 남아 놀이방을 운영했다. IMF의 여파는 오래 지속되었고 놀이방은 더 이상 성장하지 못해 결국 1년 후 권리금도 못 받고 가게를 넘겨야 했다. 이 과정에서 아이들 이모의 고생과 희생이 컸다.

실업자가 된 아내는 더 이상 신림동에 있을 이유가 없어져서 우리는 다시 이사를 했다. 친구의 권유로 생면부지인 남양주시로 갔다. 집값이 싼데다가 주변 환경이 자연친화적이어서 쉽게 결정할 수 있었다.

이사 와서 아내와 나의 건강이 무척 좋아졌다. 이전 집이 신림역 근처였는데 그곳은 매연이 너무 심해 나는 2년간 목감기를 달고 살았고, 아내는 마지막 몇 주간 맥박이 불규칙해져서 부정맥이 염려되었다. 그런데 이사 와서 약도 쓰지 않았는데 한 달 만에 아내의 맥박은 다시 규칙적이 되었고, 나는 목감기가 사라졌다. 이곳의 공기가 그만큼 청정하다는 뜻이었다. IMF가 도리어 우리 가족을 살린 셈이나.

건강뿐 아니라 집도 확 좋아졌다. 신림동 다세대 11평 전세에서 26평짜리 아파트 전세로 바뀌었으니까. 초등학교 2학년이던 큰아이는 이사 오던 날 새집에 처음 들어서자마자

"아빠, 우리 부자 된 거야?"

하고 물었다. 그 천진함이 너무 귀여워 그럼, 하고 대답해줬다. 엘리베이터가 있는 아파트와 소파가 있는 넓은 거실이 그렇게 보였나 보다. 돈을 벌어 더 큰 집으로 온 것은 아니지만 부자가 아니라고는 할 수 없었다. 비록 13평이지만 일산에 아파트 한 채를 가지고 있었으니까. 그러나 얼마 안 되는 나 혼자만의 수입으로 살아야 했기에 부자라는 생각이 들지는 않았다.

어느 날 아이들이 좋아할 것 같아 20만 원이라는 거금을 주고 〈핑구〉라는 교육용 비디오 세트를 샀다. 핑구라는 장난꾸러기 펭귄이 말썽을 피우면서 엄마에게 가르침을 받는 내용이었는데 어른인 우리가 보아도 재미있었다. 거실에서 아이들과 소파에 앉아 거금(?)을 주고 산 비디오를 보니 조금 더 부자가 된 기분이었다.

부자(?)가 된 건 좋은데 뛰어다니는 아이들이 만들어 내는 층간 소음이 문제였다. 나보다 스무 살은 더 되어 보이는 아랫집 아저씨는 자주 듣기 싫은 소리를 했다. 그때마다 나는 고개 한 번 들지 못하고 죄송하다고 했다. 세 아이가 뛰니 얼마나 소음이 심했을지 짐작할 수 있었다. 바닥에 푹신한 걸 깔아도 마찬가지였다.

그러던 어느 날 아저씨가 술고래가 되어 우리집 문을 발로 차면서 소동을 벌였다. 마침 초등학교 3학년이던 큰아이 혼자 집에 있

다가 놀라서 펑펑 울었다고 한다. 이 말을 듣고 나는 아랫집에 항의를 했다. 아저씨도 너무 심했다는 걸 인정했고 그 후로 나를 보면 미안한 표정이었다. 나는 나대로 층간 소음 노이로제에 걸려 아이들이 뛸 때마다 큰 스트레스를 받았다. 그때 아이들을 너무 혼낸 일이 지금까지도 미안하고 마음이 아프다.

우리 아이들은 셋 다 여자여서 보습학원 말고도 피아노 학원을 보냈지만 다들 싫어라 하여 2년 만에 그만두었다. 컴퓨터 기술을 가지면 평생 먹고사는 데는 지장이 없을 것 같아 컴퓨터 학원을 보냈는데 셋 다 좋아했다. 그래서 졸업할 때까지 계속 보내 아이들은 많은 자격증을 땄고 청년이 되어서도 스스로 노력해 관련 자격증들을 땄다. 지금 그것이 아이들의 직업에 큰 도움을 주고 있음은 물론이다.

아내는 어린 세 아이를 두고 일을 나가기 어려워서 막내가 10살 되던 해에야 전업주부 생활을 접고 일을 나갔다. 그만큼 아이 셋을 돌보는 일은 중대사였다. 지금은 국가의 중대사이기도 하여 이런저런 지원이 있지만 그 당시에는 아무런 지원이 없었다. 우리는 부자가 되기는커녕 점점 가난해져서 나는 새벽에 우유배달까지 해야 했다.

딸아이 셋을 키우면서 이따금 젊은 날 의사에게 들은 말이 떠올랐다.

"딸 둘보다 딸 셋이 나아."

셋째도 딸 같다는 나의 말에 내가 일하는 병원의 원장이 해준 말인데 나는 쉽게 이해가 가지 않았다. 1990년대 초반은 아직 이 사회에 아들 선호 사상이 남아있을 때였다. 나는 장손인 데다 계승해야 할 선산과 땅이 있었기에 아버님은 손자를 무척 기대했다. 하지만 기대와는 달리 첫째 둘째 모두 딸이다 보니 막내는 아들이었으면 했는데 결국 또 딸이었다.

그래서 약간 실망하고 있었는데 의사의 말을 듣고 조금 힘이 되긴 했다. 그런데 키우면서 이 말에 점점 공감이 갔다. 무엇보다도 아이 셋이 너무 잘 어울렸다. 자기들만의 잘 갖춰진 공동체를 이루어 사회성을 기르는 데 아주 좋았다. 이담에도 형제간에 둘보다는 셋이 서로 의지하는 것이 훨씬 좋을 것이다.

딸 셋이란 편안한 삼각형 같아 큰애는 든든한 밑변이고 둘은 매끄러운 빗변이 되었다. 물론 신앙으로 잘 다져졌다는 점과 큰 사고 없이 착하게 자랐다는 점이 가장 큰 이유겠지만, 만약 중간에 아들이 하나 있었다면 아마도 울퉁불퉁한 삼각형이었을 것이란 생각이 자주 들었다.

기왕에 키우는 거 어차피 둘을 키우나 셋을 키우나 큰 차이가 없지 않나 싶고, 셋이라서 딱히 더 힘들다는 생각도 별로 없었다. 세 아이들이 주는 행복감이 훨씬 더 컸던 것 같다. 아무래도 둘의 행복감보다 셋의 행복감이 더 크지 않겠나?

키워놓고 보니 지금은 부자가 되었다. 금강초롱처럼 환하고 이쁘게 자란 우리 아이들, 어릴 때는 너무 귀여워 살아있는 인형이라고 생각되었고 그 사랑스러움만으로도 평생 할 효도를 다 한 것 같은 우리 아이들, 이제는 커서 자기 생활에 충실하고, 엄마 아빠를 지극히 사랑하는 우리 아이들. 이야말로 가장 큰 부자의 요건이 아닐까?

가족 여행의 추억

아빠랑 놀러 갈 사람? 하고 거실에서 소리치면 방에서 놀던 초등학교 저학년과 유년기의 세 아이들은 나, 나 하며 손을 들었다. 이른바 '토요 놀이'다. 새로 이사 온 남양주시는 조금만 차를 타고 나가도 물놀이 산놀이 들놀이가 가능해서 토요일이면 아이들과 놀러 나갔다.

여름엔 넓은 냇가에서 송사리를 잡고 겨울엔 인근 논에서 고구마를 구웠다. 뒷산 약수터를 오가면서 밤도 줍고 단풍 구경 다람쥐 구경도 했다. 동네의 한가한 간이역도 우리 놀이터였고 30분 거리에 있는 송추 북한산이나 광릉수목원 같은 유명지도 우리 앞마당이었다. 스키장이 인근에 두 개나 있어서 겨울마다 갈 수 있었던 것은 덤이었다.

맑은 공기 덕에 우리 부부의 건강이 좋아져서도 그랬지만, 토요 놀이를 하면서 사람이 어디에서 사느냐가 얼마나 중요한지 정말로 실감했다. 계속 서울 신림동에 살았다면 우리 아이들은 토요 놀이도 없었을 것이고 자연을 접할 기회도 그만큼 적었을 것이다. 지금은 청년인 우리 아이들이 이렇게 건실하게 성장한 데는 여러 요인이 있겠지만 가족 중심의 놀이도 나름 주요한 역할을 했고, 이를 가능하게 해 준 요인은 자연친화적인 주거 환경이었다.

아이들은 토요 놀이를 좋아했고 몇 년 동안 한 달에 한 번 정도 토요 놀이를 했다. 어느덧 아이들이 크면서 아이들은 아빠 대신 친구들과의 놀이를 더 좋아했다. 같이 놀러 갈 사람, 하고 물어도 손을 들지 않는 토요일이 드디어 닥친 어느 날, 아내와 나는 우리의 시대가 갔음을 알았다. 이제는 품에서 놓아주어야 할 시간이 된 것이다. 서운하기도 했지만 동시에 그만큼 잘 자라준 아이들이 대견했다.

이제 남은 것은 여름휴가를 이용한 가족 여행이었다. 아이들은 집이 아닌 곳에서 잔다는 사실만으로도 무척 들떴다. 떠나는 차 안에서 끝없이 푸르른 창공과 제 멋에 취한 구름들을 바라보며 아이들은 환호성을 질렀다.

우리 세대는 부모로부터 가족 여행에 대해 배운 적이 없다. 그 시대엔 열심히 일하는 것만이 선이었다. 1박 이상의 휴가나 여행은 사치요 사회악이었다. 그래서 가족 숙박 여행에 대한 개념이 없던 나는 큰 시행착오를 거쳐야 했다.

첫 숙박은 민박이었다. 아마 2000년대 초반이었을 것이다. 나는 집 밖에서 자는 것만으로도 우리 가족이 충분히 즐거울 줄 알았다. 춘천 소양호에서 배를 타고 청평사로 건너가면 호숫가 민박집이 있어 기대감 속에 예약을 하고 갔다. 그런데 거실의 노래방 이용 취객 때문에 새벽까지 잠을 설쳤다. 그 후 두 번 다시 민박을 찾지 않았음은 물론이다.

이번엔 자연휴양림으로 갔다. 당시엔 국내에 휴양림이 적어서 당첨될 확률이 낮았다. '대관령 자연휴양림'이 제일 좋아 보여 신청했는데 통나무집은 탈락하고 캠핑용 데크에 당첨이 되었다. 텐트에서 자야 한다는 얘기다. 처음으로 텐트를 쳐야 했지만 뭐 그것도 재밌을 것 같았다.

휴양림의 수백 년 된 아름드리 금강송 군락과 밤하늘 별빛이 참 아름다웠다. 경포 바다나 오대산 소금강 등 주변 관광지도 감동이었다. 그런데 문제는 밤이었다. 대관령 숲 속은 밤에 얼마나 춥던지 8월 초인데도 기온이 영상 16도까지 떨어졌다. 아이들을 텐트 중앙에 두고 아내와 나는 가장자리에서 덜덜 떨며 잤다. 이틀 밤을 추위에 떨었더니 그것도 할 게 아니었다.

마침 다음 해에는 충남 서천의 자연휴양림 통나무집에 당첨이 되어 큰 기대를 안고 휴가를 떠났다. 우리 가족은 아담한 호수를 앞마당으로 둔 예쁜 통나무집 앞에서 인생 컷 하나 건질 양 사진을 찍었다.

이윽고 문제의 밤이 찾아왔다. 충청도 휴양림은 대관령과는 달리 산중인데도 열대야가 그대로 나타나 한 밤중 온도가 너무 더웠다.

그런데 에어컨이 없었다! 당시엔 다른 휴양림들도 마찬가지였다. 작년 경험 때문에 휴양림은 다 시원하겠거니 했는데 큰 착각이었다.

충청도 산중의 7평 통나무집이란 창문은 작고 맞바람이 없어 선풍기 한 대로는 어림도 없었다. 결국 온 식구가 밤새 땀범벅으로 인간 찜이 되었다. 냉장고 냉동칸에 얼굴을 박아 넣는 등 야단법석을 떨며 악몽 같은 밤을 보냈다. 게다가 낮에 먹은 음식에 아내와 둘째는 배탈이 나서 휴가지에서 병원까지 가는 등 큰 고생을 했다. 두 해 연속 호되게 고생을 해서 다시는 자연휴양림 숙박을 하지 않았다. 그 뒤로 콘도형 리조트만 이용하면서 더 이상 숙박으로 인한 곤란을 겪지 않았다.

몸의 온 감각을 이용해 심신을 투척하는 것이 여행이다. 빼어난 풍광에 눈이 환호를 하고, 새집인 듯 살펴보게 되는 숙소에는 피부가 환호를 한다. 사소한 먹거리에도 여행지에서는 입이 환호를 한다. 그런데 나는 가족을 데리고 환호는커녕 아닌 밤중에 홍두깨를 맞았으니! 나 혼자가 아닌 가족, 그것도 넷이 모두 여자인 가족들을 데리고 여행을 갈 때는 고려할 사항이 한 둘이 아니라는 점을 알았다! 처참한 고생 끝에 나는 바야흐로 가족 여행에 대해 눈을 뜨게 되었다.

지난 20년 동안 거의 해마다 가족 여행을 다니면서 가족 여행이란 어때야 하는지에 대해, 그리고 가족 여행이 주는 참된 가치가 무엇인지에 대해서 부족한대로 느껴지는 바가 있어서 나름 간단히 성리를 해모았나.

가족 여행은 건전한 가정으로 가는 또 하나의 길이다.
바로 이 점이 가족 여행의 가장 중요한 가치라고 생각된다.
세월이 하 수상하여 점점 가족을 이탈하는 청소년이 많아지는데,
사춘기의 내 자녀가 다음 가족 여행을 기다린다면
그럴 일도 줄 것이다.

자, 그럼 가족 여행을 어떻게 준비해야 할까?

우선 일정을 잘 고려해야 한다. 보통 휴가철을 이용하겠지만 자녀의 연령이 고교생 이상이라면 여름휴가철은 피하는 게 좋다. 아이들이 친구들과 시간을 낼 수 있도록 하기 위해서다. 휴가철이 아닌 만큼 긴 일정을 잡기 어려울 테니 당연히 주말을 이용해서 이삼일 정도 일정으로 잡는다. 그러면 직장을 다니는 자녀도 같이 갈 수 있다.

또, 고려해야 할 중요한 사항은 의견의 공유다. 일부러 여행 전에 잠시라도 의논을 한다. 장소와 코스, 먹거리에 대해 의논을 하다 보면 온 가족이 친구가 되기도 하고, 그 어떤 틈이 메꿔지기도 하니까.

숙박은 당연히 최우선 고려 사항이다. 비용이 좀 들더라도 청결과 쾌적을 우선에 두고 좋은 곳을 골라야 한다. 나는 몇 번의 고생 이후로 항상 리조트를 이용했고 결과는 환호성 폭발이었다.

장소를 선택할 때는 부모와 자녀의 취향을 고루 고려하는 게 좋다. 풍경과 놀이를 조화시키는 장소가 최선이다. 모두가 100% 만족하지 못할 수도 있지만 그래도 일방적 편향으로 누군가가 실망을 하는 일 보다 낫다. 일정에서도 풍경과 놀이의 조화는 중요하다. 물놀이나 오락, 탑승 기구 같은 놀이 체험과, 그 흥분을 가라앉히고 여유를 느끼게 해주는 풍경 체험은 동시성이 있어서, 가족 여행에서는 이 둘을 병행하는 것이 좋다.

또한 여행은 맛이다. 그 지역 특산 음식을 꼭 맛봐야 한다. 이때 식당 선택권을 아이들에게 준다. 그들이 인터넷으로 찾아내는 식당은 부모보다 훨씬 다양하다. 아니 다채롭다. 근사한 카페나 식당을 자녀의 선택에 맡기면 여행에 대한 기대감도 훨씬 늘어난다.

가족 여행은 건전한 가정으로 가는 또 하나의 길이다. 바로 이점이 가족 여행의 가장 중요한 가치라고 생각된다. 세월이 하 수상하여 점점 가족을 이탈하는 청소년이 많아지는데, 사춘기의 내 자녀가 다음 가족 여행을 기다린다면 그럴 일도 줄 것이다. 좋은 추억을 남길수록 다음 여행이 기다려질 테니 그만큼 잘 준비해야 하는 것이 가족 여행이다. 내 가족 일이라고 대충 준비해서 갈 일이 아니다.

청년이 된 지금도 우리 아이들은 가족 여행을 가고 싶어 한다. 부모와의 여행을 귀찮아 할 수도 있으련만, 부모로서 고맙기 그지없다. 근 20년 동안 많은 곳을 다녔다. 속초, 강릉, 삼척, 단양, 춘천, 태안, 서천, 변산, 순천, 부산, 경주, 남해, 통영, 거제 등등. 지명을 보면 알겠지만 주머니 사정이 넉넉하지 않아 바다 너머 여행을 못했다. 이젠 다들 성년이어서 앞으로 얼마나 더 가족 여행을 갈 수 있을지 모르겠지만 다음에 간다면 비행기를 타게 되지 않을까 넌지시 기대해 본다.

디지털 맹꽁이

일을 마치고 집에 가니 아이들이 소파에 쪼르륵 앉아 TV로 영화를 보고 있다. 시간이 저녁 8시 반, 전등을 모두 끄고는 어두컴컴하니 제법 영화관을 차렸다. 7월 말 열대야라면 시원한 에어컨 바람 아래 영화 한 편 보고도 싶겠지.

자매 셋이서 수다스러운 우리 아이들, 그 깔깔거림에 끌려 나도 사이에 엉덩이를 끼웠다. 모두들 20대 중반을 넘긴 청년들이라 시시한 영화라면 이렇게 거창하게 영화관을 차려놓지는 않을 테니 기대해도 좋을 성 싶었다.

한 로봇이 로봇 폐기장에 가서 파손된 자신의 신체에 맞는 부품을 찾고 있다. 주인공 로봇은 그중에서 눈 하나를 찾아내 끼운다. '아이로봇'이라는 영화를 본 적이 있는데 또 그런 류의 영화가 나왔구나 생각했다.

몸을 다 짜 맞춘 로봇이 어디를 가다가 인간들의 제지를 받는다. 돌연 화면 우측에 글자들이 뜬다.

'○ 순종, X 반항, △ 계략'

그러자 영화를 보던 아이들이 뭐라 뭐라 떠든다. 서로 뭘 고르라고 한다. 그리고는 하나가 선택되면서 그에 맞는 내용으로 진행되는데 이런 선택이 자꾸 이어진다.

'엉? 이게 뭐지? 영화가 뭔가 좀 이상하다?'

TV가 갑자기 초롱초롱해졌다. 이번 선택 버튼에서는 앞을 가로막는 인간을 '살리기, 죽이기'가 나온다. 막내가 조종기 같은 것을 들고 있다. 스틱이 두 개 있고 가운데는 볼록한 버튼들이 있는데 가만히 보니 그것으로 선택은 물론이고 인물의 움직일 방향까지 조종하는 중이라.

'관람객이 만들어가는 영화인가? 야, 세상 참 많이 변했네' 따위의 생각을 하며 애써 영화에 집중하려는데 아이들이 자꾸 게임이란 단어를 사용한다. 알고 보니 영화가 아니라 비디오 게임이었다. 하지만 내용은 하나의 주제를 견지하며 흘러가니 영화라 해도 좋겠다. 일종의 게임 무비라 할까.

로봇이 자유를 찾아 인간으로부터 탈출하려는 내용인데 관람객(?)은 탈출 방법을 선택한다. 폭력을 쓸 것이냐 아니냐는 관람객, 즉 게임자에게 달려 있다. 영화 속의 인간들은 하나같이 악하고 로봇을 멸시한다. 그러다 보니 게임자는 로봇을 폭력적으로 바꾸어서라도 돕고 싶어 진다. 인간을 때리거나 죽여서라도 말이다.

고작 게임인데 아무렴 어때 하며 눈 감을 수도 있겠지만 우리 아이들은 최대한 평화를 선택 중이다. 로봇이 인간을 다치게 해선 안 된다는 생각으로. 후후, 아직은 인간 편이네 하고 웃는데, 보면 볼수록 영상 속의 인간은 무자비하다. 나는 누구 편을 서야 할지 점점 아리송해지고 그럴수록 평화를 선택하는 아이들이 대견해진다.

조종기를 달라 하여 내가 조금 해보았는데 인간성 시험대 같다. 주인공 로봇이 인간들에게 너무 당하는 것 같아 나도 모르게 화가 나고 직선적, 폭력적 선택을 하고 싶은 마음이 조금씩 치솟는다. 아이고야.

늦게 들어온 아내는 서서 가만히 보다가 이게 무슨 영화야? 이상하네, 하며 부엌으로 가버린다. 아직 아무것도 모르고 있나 보다. 킥킥, 웃음이 나온다. 하긴 나도 웃을 자격은 없지만 그래도 그 뒷모습이 우습고 귀엽다. 그래, 우린 둘 다 디지털 맹꽁이다.

이 게임의 이름은 '플레이스테이션 4'.

신선한 문화충격이었다. 기술에 놀랐고 더구나 이 기술이 이미 2004년에 1억 대 이상 팔린 기술이라는데 더욱 놀랐다. 다음 기술이 우리집에 온다면 아마도 홀로그램이 기실에 솟아오르지 않을까 생각되었다. 삶 깊숙한 곳까지 세상은 바뀌었다. 주머니에 현금이 없어도 카드만 있으면 다 해결된다. 나도 옛것을 고집하는 자가 되고 싶지 않나. 어차피 파도의 흐름을 바꿀 수 없을 테니 파도를 타야 희망이 있을 것이다.

30대 초반인 95년에 처음 컴퓨터를 접하면서 'OA 자격증'과 '웹 디자이너 자격증'을 땄다. 틈틈이 홈페이지 제작 부업도 하는 등 제법 컴퓨터를 잘 다루는 축에 속했다. 나로 인해 회사는 〈정보지원팀〉을 신설하여 회사 홈페이지를 전면 수정하게 했고 100대쯤 되는 사내 컴퓨터 관리도 총괄케 하였다.

하지만 스마트폰이 나오고부터는 제트기 타고 멀리 가버린 첨단 문명을 손수레나 타고 따라가는 형국이 되고 말았다. 스마트폰이라는 작고 미세한 세계를 대응하기에는 내 눈과 머리가 침침하여 따라갈 수가 없다. 이제는 디지털 세계가 낯설다. 흔히 말하는 '디지털 이민자'가 되었다. 슬프다.

30분쯤 보고 있자니 슬슬 머리가 무거워진다. 여러 가지로 흥미로웠지만 계속되는 선택 과정이 피곤하여 집중이 안 된다. '머리가 아파 못 보겠다야' 하고는 자리에서 일어났다. 하지만 저 '디지털 원주민'들은 밤 12시가 넘어도 초롱초롱 선택과 집중을 하고 있다. 벌써 4시간째. 그래, 세상은 너희 것이다! 흑흑, 나는 패잔병처럼 곯아떨어지고 말았다.

매미의 사랑 노래

"쓰왱쓰왱쓰왱왱 왜에에 ㅇㅇㅇㅇ "

참매미가 방충망에 들러붙어 무더위를 비빕니다.

'허~ 참, 요란도 하군. 저러다 목 터져 죽겠다.'

장맛비 그치자 제일 먼저 나타나 애가 타도록 노래를 부르는 매미. 아마도 달포쯤 전에 장마에 흙이 축축해지자 땅속에서 길 떠날 채비를 했을 것입니다. 부지런히 땅 속 어두운 공도(空道)를 타고 올라와 이제나 저제나 비 그칠 날만 기다리다가 아무도 보아주지 않는 밤에 몰래 나무를 탔겠죠.

말매미, 참매미, 쓰름매미, 풀매미 등등 매미는 종마다 다른 주파수의 노래를 부르는데, 수컷이 사랑 노래를 부르면 암컷이 찾아갑니다.

주로 수컷이 찾아가는 사람하곤 좀 다르죠? 이때 암컷은 자기네만의 주파수를 구분할 수 있어서, 노새처럼 번식 불가 자손이 나지 않도록 다른 종과의 짝짓기를 피한답니다.

요것도 좀 다른 것 같죠? 어떤 인간은 주파수 구분도 못하고 달라붙다가 걷어차이던데. 아무튼 이런 연유로 자연은 같은 종끼리 구분할 수 있는 사랑의 노래를 부릅니다.

인간 종들도 사랑 노래를 부릅니다. 백과사전에 인간은 '동물 계 〉 척색동물 문 〉 포유류 강 〉 영장 목 〉 사람 과 〉 사람 속 〉 사람 종'이라고 적혀있습니다. 분명 한 종이죠.

그런데 주파수는 여럿인가 봅니다.

매미와 달리 인간은 주로 암컷이 온갖 치장으로 노래를 부르면 그 소리를 듣고 얼기설기 수컷들이 모여드는데 암컷은 그중에 주파수가 같은 놈을 고르지요. 어떤 수컷은 아무리 다가가도 암컷이 거들떠보지도 않는 불상사가 발생합니다. 하지만 주파수가 달라서 그런 것이니 너무 염려 마시고 계속 찾으시기 바랍니다.

하루는 어떤 암컷이 사랑 노래를 부르기에 어째 날 찾나 보다 하며 들러붙었습니다. 암컷은 입술 이쁜 거 하나로 날 뽕 가게 했습니다. 그 입술이 사랑노래였다는! 암컷은 자기와 주파수가 같다고 생각했는지 날 받아주었는데 후후, 다행히 우린 같았습니다!

오랜만에 매미의 사랑 노래를 들으니 공자(孔子)의 지란지교(芝蘭

之交)가 떠오릅니다. 지초와 난초 향기로 평생 서로를 물들여 감이란, 주파수를 평생 맞추어 가야 한다는 말이 아니겠습니까?

그렇다면 인간 종은 매미와 달리 '평생' 사랑의 노래를 불러야 하나요? 뭐 이리 오래 불러야 하나요?

"아이고! 피곤해라. 이를 어쩌란 말이냐?"

내 인생의 사탕 셋이디요

솔직히 고백하자면 이놈은 육군 땅개로 입대한 지 삼 개월쯤 된 이등병 때 벌써부터 군대서 도둑질을 했디요. 혹한기 훈련에서 제외되어 부대에 남아 초소 근무만 하루 열몇 시간 했을 때 일이디요.

84년 1월, 그 해 철원에는 눈이 얼마나 많이 왔는지 초소 근무 끝나면 쉴 틈도 없이 그 넓은 연병장 눈을 쓸고 또 쓸고, 쌓아놓은 눈 더미가 사방팔방, 리어카로 버리고 또 버리고. 이럴 수가! 그 좋던 눈이 싫어졌디요.

그러던 중 고개 넘어 옆 부대 식당으로 심부름을 갔다가 순간, 두 눈에 들이닥치는 건빵 박스 더미!!!! 고걸 얼씨구나 한 박스 들고 냅다 뛰었디요, 숨어숨어 뛰었디요. 와서는 고참들에게 사랑 마않이 받았디요. ^.^

싸리비로 눈 박박 쓰는데, 한쪽에서는 건빵이 박박 끓어 오르니께 눈 쓰는 게 힘들다 재밌다 했디요. 별 사탕 꺼내 건빵 끓일 때 쏙 담그니 캬아~, 별 사탕을 꼭 넣어야 했디요. 고거이 요리 포인트였디요. 사탕 때문인지 희한하게도 끓이면 쫄깃쫄깃해지던 군용 건빵. 50봉은 족히 되는 걸 넷이서 며칠 동안 싸그리 냠냠. 고거이 고로케 맛있는지는 군대 가서 알았디요. 훔쳐 먹는 게 맛있단 것도 그래서 알았디요.

제대하고서 25살에 여자가 어찌 그리 만나고 싶던지 사탕 들고 다니며 꼬시다가 여럿 실패했디요. 사탕만으론 안 통한다는 걸 그때 알았디요. 어느 날 하늘에 별사탕을 따서 꼬셔 보았디요, 내 마음이라고. 아항, 통했디요. 막사탕 분위기로는 안 되더니 별사탕 분위기로는 되더란 말입니다.

여자는 분위기라는 걸 그때 알았디요. 이상한 동물(?)이다 생각했디요. 나야 달라진 것 하나 없는데, 분위기만 바꾼 건데. 그때부터 던져준 분위기들 - 국군장병 아저씨께 써보고 처음 써보는 편지, 시 같지도 않던 시, 서울의 남산 꼭대기에서 최후의 장미꽃 한 송이까지 노력 마~않이 했디요.

마침 오늘 그 여자 분은 일 나가시옵고 나는 휴일이라 혼자 불암산에 다녀왔는데, 내려오면서 에너지 고갈로 저혈당증 몰려와 어질어질 기절하는 줄. 때마침 가방에서 사탕이 하나 나와 덕에 살았디요.

아이쿠야, 알고 보니 요 작은 것이 생을 울렸다 웃겼다 했디요. 돌이켜보면 생을 감칠맛 나게 하는 것은 사탕처럼 작고 사소한 것들이었디요. 생이 한바탕 춤판을 벌릴 때 위로해준 것도 결국은 소소한 즐거움들이었디요.

건빵 별 사탕이나
하늘 별 사탕이나
오늘 먹은 막 사탕이나
내 인생에 소중한 사탕 셋이디요.

갱년기 구들방, 갱년기 차돌방

이불을 덮어도 추워요. 몸이 차요. 이놈의 중고 아파트는 바닥이 미지근하여 옛 구들방이 간절해지죠.

70년대, 우리집 아랫목엔 밥그릇 몇 개가 요에 늘 덮여 있었죠. 눈싸움을 마치고 손을 호호거리며 요 속으로 쏘옥 들어가면 밥 냄새가 노릇노릇 풍겨왔어요. 엄마의 사랑이 담긴 고 냄새. 뚜껑을 열면 모락모락 김이 오르는 고 하얀 쌀밥! 고 밥 한 입 먹고 싶었지요.

방바닥 뜨거워 이리저리 뒤척이다가 행여 밥이 엎어질까 다리를 살살거렸던 구들방. 엄마의 사랑이 가득했던 까만 구들방.

아내는 갱년기. 구들방처럼 온몸에 열이 훅훅 올라온데요.

아 글쎄, 한 겨울인데도 아내 이마에 땀이 맺혀요. 갑자기 더웠다 말았다 한다나? 벌써 4년째, 여름이고 겨울이고 없습니다. 추운 겨울에도 어쩌다 잠을 깨서 아내를 바라보면 내복은커녕 이불까지도 젖히고는, 안 추울까? 잘도 잡니다.

나는 정반대, 내복 입고 이불 꽁꽁 덮어도 추워서 잠을 깨곤. 털양말 신고 이불속으로 들어가는 심정이란 비참 그 자체.

에구 창피해라. 남자도 같이 갱년기를 겪는다고 들었는데, 아이쿠야! 여자의 갱년기는 구들방이고 남자의 갱년기는 차돌방인가요?

나는 한기를 못 이기고 뜨끈뜨끈한 아내에게 다가가지만 아내는 열이 난다고 나를 밉니다. 살짜쿵 밀어냅니다. 흑, 엄마의 구들방이 그리워지네요.

젊은 날 청춘 미모의 그녀는 내 손이 따뜻해서 좋다고 했었죠. 자기 손은 찼거든요. 그런데 이제는 거꾸로 되었습니다.

갱년기란 혹시 그동안의 남녀 위상이 바뀌는 시기일까요? 어? 그럼 내가 부엌으로 가고 아내가 소파로 와야 하나? 난 미역국도 못 끓이는데? 전에 미역국 한번 끓이다가 대 실패를 봐서 말이죠. 나중에 알고 보니 기름에 볶으라나 뭐라나? 허참, 그걸 내가 어떻게 아냐구요?

해서, 부엌 대신 여행으로 때우는 중입니다. 그럼 아내가 갱년기를 잘 극복하지 않을까요? 부끄럽게도 구들방 사태를 겪고서야 처음으로 부부동반 해외여행을 갔지요. 그래도 벌써 두 번이나 다녀왔어요. 이놈의 코로나 사태만 지나면 또 가려고요.

그나저나 갱년기 위기를 극복하려면 또 뭘 해야 하나요?

조기 축구

"야, 너 작년보다 늙었다?"

60대 팀 조기 축구경기 2쿼터를 마치고 나오는데 뒤따라오던 한 형님이 이렇게 말씀하신다. 패스해주는 공을 자꾸 놓치자 하는 말이었다. 전 같으면 민첩하게 움직여서 받았을 공인데 몸이 느렸다. 새해 들어 몸이 느려진 게 사실이다. 골을 못 넣은 지도 한 달이 넘었다. 나는 이 팀에선 제일 빠른 축에 속해서 윙을 하면서 거의 매 번 골을 넣었는데 요즘은 통 힘들다.

올해로 60살이 된 나는 늙었다는 형님의 말을 생각하니 내 축구 인생의 또 한 번 꺾이는 순간을 느낀다. 15년 전에도 이런 순간을 겪었다. 조기 축구를 한지 15년째인 45살에 종아리에 처음 쥐가 난 뒤로 운동능력이 뚝 떨어졌다. 쥐가 나다니? 처음 있는 일이었고 나는 적잖이 충격을 받았다. 3쿼터의 사나이라고 불렸던 나는 그 뒤로 정반대가 되어갔다. 안 그래도 못하는 실력인데 체력마저 점점 하락하니 팀에서 밀려나기 시작했다. 그 뒤로 3,40대 젊은이들을 피해서 50대 팀으로 옮기고 지금은 60대 팀으로 옮겼는데 또 다시 체력이, 아니 세월이 나를 무너뜨리고 있었다.

축구화를 처음 신어본 것은 초등학교 4학년 때였다. TV에서 본 축구가 너무 좋아서 아빠한테 학교 축구부에 넣어달라고 졸랐다. 아빠는 쾌히 승낙을 해주시고는 축구용품들을 사주셨다. 학교에 갈 때마다 축구화를 신었다. TV에서 본 축구선수들의 무릎까지 올라오는 양말이 너무나 신고 싶었는데 그 꿈도 이루어졌다.

당시(1973년) '박 대통령컵'이라는 국제축구대회가 열리면 한국은 말레이지아나 버마와의 경기에서 치열한 접전을 벌이곤 했다. TV 좌측 상단에 '한국 : 버마'라고 올라오는 작은 자막의 '한국'이라는 글자를 보면 저절로 흥분이 되었다. 골이 들어가 네트가 출렁이는 장면은 마치 꿈을 꾸는 것 같았다.

수업이 끝나면 축구부에 가서 연습을 했는데 선생님은 나에게 볼 컨트롤만 시켰다. 그런데 이사를 가는 바람에 6개월 만에 축구부를 그만 둬야 했다. 전학한 학교는 축구부가 없어서 나의 축구부 경력은 그걸로 끝이 났다. 대신 골목 축구부(?)에 들어갔다. 아니 내가 창립했다. 매일 공을 들고 골목으로 출전했다. 꾸역꾸역 친구들이 나오면 골목 쓰레기통을 골대 삼아 신발이 헤지도록 놀았다.

그렇게 시작된 내 축구 인생은 60살이 된 지금까지 이어진다. 학창시절에 반대표로 뛰었고 군대에 가서도 소대나 중대 대표 선수로

활약했다. 키가 작다보니 성인으로 갈수록 실력이 밀렸지만 수비에서 감초 역할로도 좋았다. 남들처럼 화려하지 않았지만 내 나름 풍요로웠다. 크게 다치지 않은 것이 감사하고 여러 사람들과 친목도 모를 할 수 있어 감사하다. 축구라는 종목에 진심인 사람들과의 만남이어서 쉽게 형·동생이 되는 친목이었다.

비가 오나 눈이 오나 빠지지 않고 축구하러 나가는 나를 아내는 신기하게 바라봤고 잔소리도 자주 했다. 툭하면 절룩거리는 남편을 어느 아내가 보고 싶겠나? 그러거나 말거나 열심히 나갔다. 30대에 허리 디스크가 발병했어도 복대를 차고 운동을 했으니 나도 지독한 광이었다. 그런데 운동을 하면서 몇 달 만에 요통이 싹 나았다! 디스크 질환에 걸린 지 반년만의 일이었다.

마침 〈2002 한·일 월드컵〉은 나를 포함, 전국의 조기 축구 회원들을 살려주었다. 무슨 말인고 하니, 조기 축구를 하는 사람은 거의 아내의 눈치를 본다. 특히 젊은 애기아빠들은 더 하다. 그런데 월드컵 이후 전국의 축구 잔소리가 확 줄었다. 이유는 말 안 해도 알 것이다. 우리는 쾌재를 불렀다.

그 후로 국내에 조기 축구 열풍이 불어 조기 축구팀이 기하급수적으로 늘자 2017년 대한축구협회는 이를 제도화해서 조기 축구팀들을 흡수했다. 조기 축구팀들도 K7리그를 시작으로 K3리그까지 승강이 가능한 토대가 생겼다. 상위리그로 가려면 그에 준하는 예산과 코치진을 구성해야 하므로 실제로 그런 일은 어려운 게 현실이지만 우리나라에서도 외국처럼 조기 축구 출신 국가대표가 나올 수 있다는 얘기다.

지금 우리 팀에선 내가 제일 막내다. 60대 팀인데 평균 연령이 65세 정도 되고 70대도 계신다. 회사에 가서 내가 막내라는 말을 하면 직원들이 깜짝 놀란다. 우리 회사에선 내가 최고령이기 때문이다. 막내란 자리는 뭔가 봉사를 해야 하는 자리다. 예수님도 이웃에 봉사하라 하셨는데 지금이 딱 그럴 상황이다. 나는 형님들을 위해 심부름하는 총무 일을 쾌히 하겠다고 했다. 노년은 열심히 일하며 늙어야 한다는 내 생각도 한 몫 하였다. 매번 수고하는 나를 형님들은 이뻐해(?) 준다. 하하, 나이 60에 막내 소리를 듣고 이쁨을 받다니.

조기 축구를 하는 사람들은 대체로 건전한 분들이다. 나라를 살리는 성실한 가장들이요 선한 양심의 소유자들이다. 또한 생을 즐길 줄 아는 분들이다. 요즘 뜨거운 주제인 Carpe Diem을 만끽하는 사람들이다. 우리 60대 팀에는 선수출신도 여럿 있다. 전보다 주력과 민첩성은 떨어지지만 경기를 조율하는 엄청난 역할을 하면서 즐거움을 만끽한다. 생은 이래야 한다. 자신의 재능을 살려서 살아가는 생, 얼마나 재미있겠나?

약 수 터 에 서

10년 만에 아래 약수터를 찾았다. 그늘에서 책이나 읽으려고 발길 닿는 데로 가던 중 마침 생각이 나서 들렀다. 용정 약수터. 우리 집 뒤 매봉산에 있는 두 개의 약수터 중 낮은 지대에 있는 것으로 20분 정도 산을 오르면 나온다.

이 약수터는 20년 전 이곳에 이사 온 이래로 자주 다녔는데 어느 날 갑자기 약수에 불순물이 나와서 발길을 끊은 이래로 벌써 10년이나 지났다.

당시 산을 빙 둘러서 온통 개발 붐이 일었다. 공장이니 아파트를 짓고 산을 허물어 도로를 만들었다. 그 여파로 약수에 미세한 검정 물질들이 섞여 나왔다. 시력이 약한 할머니들이 그 물을 받아 가시기에 알려드리기도 했다. 산의 맑은 기운이 사라져 버린 느낌에 그 뒤로 약수터는 물론 이 산을 찾는 일도 현저히 줄었다.

그러다가 오늘 10년 만에 오면서 이제는 폐 약수터가 되었겠거니 했는데 웬 걸, 약수터 공원으로 조성되어 있는 게 아닌가?

헬스기구들이 깨끗하게 놓여있고 주위로 빙 둘러서 원을 그리는 데크길이 났다. 뜻밖의 광경에 물은 과연 깨끗할지 궁금했다. 별 기대를 하지 않고 다가갔는데 음용적합수라는 판정 공문이 붙어있고 과연 물맛도 좋았다. 약수는 잘 가꿔진 앞마당을 가진 안주인이 되어 있었다.

'허어 이 웬일이냐? 산이 다시 맑아졌나? 산허리가 관통되어 차들이 씽씽 다니는데도?'

주위를 둘러보니 나무들은 그 새 많이 자라 아름드리 울창하다. 약수터 아래 논배미엔 오리 두 마리가 놀고 웅덩이에는 우렁이 같은 수생생물들이 노닐고 있음이 예전과 한 가지다. 지난 10년 동안 나는 산을 버렸지만 산은 자신을 버리지 않은 모양새다. 산뿐 아니라 마을 사람도 남양주시도 약수터를 버리지 않고 이렇게 잘 살려 놓았다. 존경스러운 분들이다. 산이 다시 사람들을 불러 모았구나.

그러고 보니 나만 나쁜 놈 됐다. 물 나빠졌다고 뒤도 안 돌아보고 떠났으니. 요로코롬 이기적인.

어쨌거나 경치도 좋고 그늘도 좋아 그대로 눌러앉아 세 시간여 책을 읽었다. 할머니 한 분이 지나가시다가 잠시 앉더니 두런두런 말을 거시기에 물어보았다.

"여기 물이 좋았다가 지저분해졌었는데, 혹시 아세요?"

"그렇지, 한 삼 년 물이 끊어졌었지."

그랬다. 처음엔 불순물이 나오다가 나중엔 아예 물의 양 자체도 확 줄었다. 그런데 그 기간이 삼 년이었구나. 산이 삼 년 동안이나 제앓이를 했구나.

이 작은 산이 회복되는 기간, 삼 년.

땅 속의 바위가, 흙이, 뿌리들이, 최종적으로 물줄기가 다시 자리를 잡아간 세월이렷다. 나무들이 자라서 뿌리를 섬섬이 뻗어가고 낙엽은 쌓여 땅을 살찌게 했겠지. 그 삼 년 동안에도 개발은 계속되었지만 산도 치유를 계속한 결과리라.

물이 다시 맑아진 걸 보면 적어도 여기선 산이 인간을 이긴 모양새다. 지구가 몸앓이를 하지만 자연의 회복력을 믿어도 좋지 않을까? 이제 다시 이곳을 계속 찾아볼까 하는 생각이 드는데, 버리고 떠났던 내 모양새가 헛헛하여 그럴 자격이나 있는지 모르겠다.

우리집 뒤 매봉산

맨발로 산에 갈기다, 아내에게 이렇게 말하고선 진짜로 맨발 산행을 했다. 처음이었다. 뒷산은 동네 사람들끼리 '매봉산'이라고 부르는 300m도 안되는 자그마한 산이다. 이사 와서 몇 번 올라 보니 맨발로도 오르기 좋을 것 같았다. 초입부터 정상까지 암벽 하나 없는 완만한 육산이어서 지난번 산행 길에 사뭇 맨발 산행을 기약했다.

산 중턱에 작은 약수터가 두 개 있어 매주 물을 뜨러 갔던 터라 이 산은 이미 나의 친구가 되었다. 희고 노란 풀꽃들이 여기저기 저 혼자 나고 지며, 나뭇잎 사이로 기웃거리는 산새들의 울음이 항상 산객을 반긴다.

맨발로 산을 오르자니 나무뿌리와 돌멩이 알갱이들을 피해 조심조심 걸어야 했고 이따금 그런 것들을 밟아 아프긴 했지만 발바닥 지압 효과는 이를 충분히 상쇄했다. 등산 피로도가 훨씬 덜했다. 자근자근 밟히는 흙의 감각도 무척 좋았다. 사랑스러운 나의 산이라는 느낌이 훅 다가왔다. 사람이든 산이든 피부 접촉을 하면 좋은가 보다.

이렇게 친근한 산인데 산 아래 세상은 해마다 바뀌어갔다. 공장과 아파트가 들어서고 산기슭에는 새로운 길이 났다. 서울에서 넘어오는 사람들로 인구는 해가 다르게 늘어났다. 하지만 산은 묵묵히 자기 숨결대로 살았다. 산은 그저 도토리나무나 소나무가 조금 있는 데도 서어나무 무성한 어느 극상림 부럽다 하지 않았고 여전히 사람들에게 등을 내주어 어부바를 했다.

그런 가운데 숲은 점차 파괴되고 있었다. 산의 북쪽에 대단위 아파트가 들어서면서 아래 약수터 물에서 미세한 오물들이 섞여 나왔다. 사람들은 개탄을 하며 위 약수터로만 몰렸다. 그러더니 어느 해에 도로를 낸다고 인간들이 산허리를 끊어버렸다. 골을 따라 4차선 도로를 내버렸고 그 위로 다리를 만들어 산길을 이어놓았다.

교통은 편해졌지만 산의 입장에서는 무척 화가 날 일이다. 그런데 숲이 파괴되자 기를 못 펴던 아까시나무들이 활력을 찾아 풍성하게 꽃을 피우는 게 아닌가? 그동안 활엽수들에 가렸던 햇살이 풍성해진 덕이다. 그 후로 봄마다 산허리 도로가에 활짝 피어 감사의 엽서를 온 마을로 보냈다.

놀라운 일이다. 산은 화를 내기보다는 묵묵히 자기를 바꾸어 가는 중이다. 큰 바람 두려워 스스로 먼지 눕는 나무 없다더니, 쓰러지면 쓰러진 데서 꺾이면 꺾인 데서 다시 시작하는 모습이라니. 언제나 최선을 다하다가도 바뀔 땐 바뀌고 통절의 념(念)으로 옮길 땐 옮겨가는, 산이 사는 방식에게로 무릎이 꿇어진다.

산을 본다.
산을 보며 산다.
산을 들으며 산다.
살다가
산이 되었으면 좋겠다.

3부

홀로 여행

길 위의 짧은 생각

홀로 여행

텅 빈 하루를 느끼면서 눈을 떴다. 모처럼 혼자만의 하루가 생겨서다. 아내랑 같이 어딜 가기로 했는데 아내가 일정 변경으로 출근해야 한다고 해서 이리 되었다. 갑자기 하루가 무주공산에 떠올랐다. 홀로 기차를 타고 어디메쯤 가서 모닥불 피우며 책이나 읽어야겠다는 생각이 들자 이내 기분이 좋아졌다. 하아, 재밌겠는데. 아내에겐 미안하지만 오늘 하루가 갑작스런 선물 같았다.

당하면 외로움, 선택하면 고독이라 했겠다. 고독도 때로는 쓸 만하겠고? 떠나기로 한다. 목적지는 없다. 산과 들 어디엔가 내가 있을 것이다. 목적지 없음이 홀로 여행의 목적이라는 어느 여행 잡지의 글이 문득 떠올랐다.

가는 도중 '물소리길'이라는 산책로를 소개하는 광고판에 눈이 번쩍 뜨였다. 이름이 너무 좋은 걸, 개울에서 도로록 또로록 자갈 구르는 소리가 들려오는 걸. 사소한 광고판조차 오늘은 선물이네!

원덕역은 물소리길 제4코스 시작점, 안내판을 보니 총 6.2km로 2시간 거리라 한다. 역사를 나서니 포근하게 쌓인 눈 덕에 쌀쌀한 바람조차 훈훈하다. 배낭은 가볍다. 일과 욕심일랑 배놓고 귤 몇 개, 보온통과 커피 2봉, 책 한 권, 깔개 1개. 됐어, 넉넉하군. 서글픔과 환희조차 내려놓고 오롯이 원시의 나로 왔으면 더 좋았을 텐데.

안내 리본을 따라 논두렁길을 걷자니 저 멀리 커다란 나무가 우뚝하다. 가서 보니 느티나무다. 수령이 500년이라 적혀있어 조상님을 만난 느낌에 숙연한 마음이 들었다. 안 그래도 장수목을 찾아다니는 요즘이었는데 너무 반가웠다.

나무를 보니 이 원덕이라는 마을의 역사도 꽤 깊겠다. 어, 원덕? 20대 후반에 며칠 놀았던 곳 아닌가! 맞아 맞아, 원덕이었어! 반가움에 마음이 들썩댄다. 우연히 들른 꼴이라 기억을 까맣게 놓치고 있었는데 갑작스런 추억 하나를 선물 받은 느낌이다. 〈여행의 기술〉 저자인 소설가 '알랭 드 보통'의 표현이 떠오른다. 여행을 하면 '진공폭발'이 일어난다는 그의 말이 오늘 어쩌면 이렇게 잘 어울리는지 모르겠다. 오늘 여행은 도처에서 선물을 준다.

그때 그 기와집은 어디 있을까? 화장실에서 변을 보다가 똥물이 튀어 난리 한바탕을 겪고 우물물로 몸을 씻었지. 그런 데를 숙소라고 잘도 잡아놓고 수박 깨 먹으며 여름밤을 불태웠지.

배낭은 가볍다. 일과 욕심일랑 빼놓고 귤 몇 개, 보온통과 커피 2봉, 책 한 권, 깔개 1개.

됐어, 넉넉하군.

서글픔과 환희조차 내려놓고 오롯이 원시의 나로 왔으면 더 좋았을 텐데.

마을 앞으로 강물이 흐른다. 아하, 바로 저곳, 친구들이랑 수중 배구를 했던 곳. 강굽이도 그대로 산도 그대로.

그런데 강의 힘이 한결 약하다. 전에 없이 갈대가 무성하고 물 깊이는 겨우 무릎이나 쯤? 그때는 강도 나도 팔팔했는데, 나이는 사람만 먹지 강산도 먹나? 애달프긴 사람이나 강산이나 한 가지로구나.

갑자기 과거를 여행하는 나그네가 되어 한동안 과거를 검색한다. 일행이 있다면 이렇게 마음 놓고 과거로 갈 시간도 없겠지. 웃고 떠들다 보면 상상은 나래를 접고 숨는다. 때론 관계의 뒤쪽을 생각해야 하는 제한된 언어와 몸짓도 있다. 하지만 홀로 가는 길에선 오롯이 나에게로 집중할 수 있으니 나의 근원을 찾는 길이 될 것이다.

나의 근원이란 무엇일까? 그것은 왠지 기쁨보다는 슬픔에 가까운 무엇일 것 같다. 홀로 여행을 하면 어쩌다 그런 느낌이 스쳐간다. 때론 미소가, 때론 슬픔이 오늘처럼 30년이 지난 강과 나의 실체 앞에서 깊어진다.

30년 전을 생각하자니 당시 우리 젊음을 울렸던 서정윤 시인의 시집 『홀로 서기』의 저 유명한 구절이 떠오른다.

'둘이 만나 서는 게 아니라 홀로 선 둘이가 만나는 것이다.'라는.

당시 나의 심정을 시는 정곡으로 찌르고 있었다. 그 시집은 지금도 내 책상에서 누렇게 바랜 채 나의 청춘을 바라보고 있다. 25살의 나는 그의 시집을 2,000원에 샀었나 보다. 지금의 나는 읽을 수도 없는 작은 글씨로 인쇄된 책을 그때는 잘도 읽었다. 내 젊은 날, 20대 중반의 나는 시의 화자처럼 방황과 번뇌의 젊은 날을 보내고 있었다. 나는 어떻게 살아가야 하나, 어디서 무엇을 해야 하나?

오늘 모처럼의 고요에 새삼 다가온 그날의 물음들을 생각하며 길을 걷는다. 마을을 벗어나니 강을 따라 좁다란 멍석 길이 이어진다. 발바닥에 전해오는 송송한 느낌! 사위는 조용하여 조랑조랑 물소리조차 손에 잡히고 오밀조밀한 떨기나무들이 뾰족한 가시마다 제 자랑질이다. 자그마한 바람과 잎새 날림에도 마음이 수군거려 길은 나를 꼬불꼬불한 행복으로 데려간다.

강 건너 넝쿨 우거진 떨기나무 군락 뒤에 뭔가 숨어있다. 길이다, 나를 기다리는 보일 듯 말 듯 한 수줍은 길. 아마도 고라니쯤 다니는 틈새 길이리라. 마침 징검다리를 세워놓고 나를 유혹한다. 혼자 갈 때 보이는 길이 있고 둘이 갈 때 보이는 길이 있다더니. 이 두 길은 대체로 수줍다는 공통점이 있지만 혼자 걷는 길은 오늘을 꿈꾸고 둘이 걷는 길은 내일을 꿈꾼다. 하나는 거친 땅을 보고 하나는 부드러운 하늘을 본다.

징검다리를 건너서 산발치에 눈 덮인 자드락길로 뽀드득뽀드득, 고라니 발자국을 따라가는 재미라니. 한동안 고라니 걸음을 경중경중 가는데 징검다리가 또 나온다. 시방 1m는 족히 되는 화강암들이 하얀 눈을 안고 풍치 좋게 이어져, 다리 가운데 서자니 풍경화 액자에 쏙 들어온 느낌이다. 이 맑고 사소한 희망이 걸린 풍경 속으로 오늘 퐁닝 빠시고 싶나.

사위는 조용하여 조랑조랑 물소리조차 손에 잡히고
오밀조밀한 떨기나무들이 뾰족한 가시마다 제 자랑질이다.
자그마한 바람과 잎새 날림에도 마음이 수군거려
길은 나를 꼬불꼬불한 행복으로 데려간다.

다리 가운데 서자니 풍경화 액자에 쏙 들어온 느낌이다.
얼음이 다릿돌들을 따라 백옥(白玉)담을 쌓았다.
옹기종기 조약돌 마을을 이룬 얼음섬도 있고
새의 날개처럼 생긴 것도 있다.
한 겨울, 먼 길에 지친 물의 떼가 날개를 접고 쉬나 보다.

아, 이토록 감동시키는 것이 근원이라면 나의 근원은 멀지 않은 곳에 있을 성 싶다. 돌이켜보면 사소한 속에서 웃음과 울음이 출렁대지 않았던가? 그래, 어쩌면 답은 가깝고 사소한 데 있을 것 같다. 멀고 거창한 데서 근원을 찾으려 하지 말자. 사소함에 충실하면 답이 내게로 다가올지도 모를 일이다.

얼음이 징검다리 다릿돌들을 따라 백옥(白玉)담을 쌓았다. 옹기종기 조약돌 마을을 이룬 얼음섬도 있다. 쌓인 눈이 얼었다 녹았다 하면서 다듬어졌나 본데 희고 형형한 조각들이 큰 것은 높이가 석 자나 된다. 새의 날개처럼 생긴 것도 있다. 한 겨울, 먼 길에 지친 물의 떼가 날개를 접고 쉬나 보다.

날이 차다. 이제 좀 쉬자. 징검다리 가운데쯤에 모래톱이 있어 모닥불을 피운다. 마른 갈대를 밑천 삼아 장작이 타오른다. 밑천이 약하니 깜부기불이 자꾸 꺼지고, 다시 밑천을 주우러 오가는데, 한적한 다리 위에서 밑천 떨어진 인간 하나가 왔다 갔다 바쁘다. 어휴, 나 하는 게 그렇지 뭐.

따뜻함을 쪼이며 징검다리 한가운데에서 강 양편을 바라본다. 저쪽으론 하얗게 설산(雪山) 세상이고 이쪽으론 하얗게 설가(雪家) 세상이다. 설가든 설산이든 두 세상이 다 좋으니 어쩌나? 도를 닦으려면 산으로 가라는데 아이고, 저 산에서 멧돼지하고 같이 밤을 새울 생각일랑 추호도 없다. 대신 여기 앉아 책이나 좀 읽어볼 요량이었지만 불 관리하느라 책은 만지지도 못한다.

아니 오늘 홀로 여행이 책이다. 하늘거리는 불꽃 속에 글이 있고 터 터에 옛 그리움이 있어 이 날선 날에도 마음이 마냥 포근해지는 구나.

대 성 리 단상

장마철을 맞아 부쩍 바빴던 강물이 오늘은 한가로이 쉰다. 대성리 강의 물비늘들이 넓고 잔잔한 건 오랜만이다. 사방 어디를 둘러봐도 평화롭다. 넓은 비늘 위에 멈춰버린 시간이 개구리처럼 올라앉아 한낮의 졸음을 즐긴다. 강 건너에는 하얀 백로 두 마리가 아까부터 아무런 걱정 없이 정물처럼 앉아있다. 강가의 수많은 풀잎들이 기나긴 장마에 많은 비를 머금어 길둥글게 쭉 뻗었다.

대성리에선 땅도 강도 평평하여 언제 와도 마음이 평온해진다. 강 안개 들뜨는 새벽에는 풀잎마다 이슬장이 방울방울 열리고, 한낮에는 벚나무 군락지에서 자전거 객들이 삼삼오오 그늘을 즐긴다. 이뿐이랴? 저녁에는 지친 하루를 쉬고 싶은 하모니카 객의 고즈넉한 노래가 흐른다.

저 평평함 위로 우리는 산다. 나도 평평해야 내 위로 누군가 살

수 있으리라. 나옹선사가 물처럼 바람처럼 살자 말한 것은 사랑도 미움도 뾰족해서일 게다. 청산은 말없이 살라하고 창공은 티 없이 살라 하니, 거 참!

대성리로는 북한강이 지난다. 강은 양수리에 있는 '두물머리'에서 남한강과 만나 한강을 이룬다. 산악지대를 내려오는 북한강은 남성 같고 평야지대를 내려오는 남한강은 여성 같아서, 두 물이 만나 짝을 맺은 두물머리의 강은 사랑의 강이다.

북한강은 사랑의 강이 되기 직전에 대성리에서 잠시 쉬었다 간다. 금강산에서 발원하여 장장 320여 km를 흘러 한강에 합류하기까지 금강의 기운과 설악의 마음을 섞어서 숱한 생명을 먹이고 키우는 북한강. 강은 그 힘든 짐을 풀 곳으로 대성리를 택했고 대성리는 강의 쉼터가 되는 영광을 얻었다.

강이 쉬어갈 정도라면 인간 하나쯤이야. 초등학교 때부터 지금까지 반백년을 찾아도 질리지 않는 것은 당연한 이야기. 초등학교 때 동네 형아랑 대성리로 물놀이하러 왔다가 누가 차비를 훔쳐가 파출소에 가서 모기만 한 소리로 잉잉 울었다. 요즘도 내 울었던 정든 곳에서 책을 읽고 하늘을 읽으면 그때의 기억이 새록새록 떠오른다.

'대성리 북한강 벚나무길'의 비 오는 아침

금강의 기운과 설악의 마음을 섞어서 숱한 생명을 먹이고 키우는
북한강. 강은 그 힘든 짐을 풀 곳으로 대성리를 택했고
대성리는 강의 쉼터가 되는 영광을 얻었다.

대성리 왕벚나무 군락지의 봄과 겨울

대성리를 최애의 공간으로 여기는 사람이 어찌 나뿐이랴. 가까운 지이두 그러하거니와 얼마나 많은 마을들이 찾아와 위로를 받는지. 특히 학생들의 M.T. 성지로는 예나 지금이나 타의 추종을 불허한다. 그 사랑에 힘입어 8만 평의 국민 유원지는 왕벚나무 군락지와 갈대 숲과 자작나무 산책로 그리고 9천 원이면 즐길 수 있는 국민 골프장으로 새 단장을 했다.

명석 길 산책로를 끌고 가는 갈대들은 가을이 오면 훌쩍 자라 수줍은 청춘들을 숨겨 줄 것이다. 길은 자작나무 숲으로 이어진다. 사각거리는 자작나무들이 흰 옷을 입은 처녀들처럼 매무시를 뽐내고 대성리역을 찾아오는 기차 소리가 풍경처럼 자작댄다.

강에선 나뭇잎 모양의 비늘들이 반짝이니 자작 잎의 사각거림과 물비늘의 반짝임이 꼭 오누이 같다. 정다운 오누이처럼 대성리의 시간은 흐른다. 청춘들이 삼삼오오 시끌벅적한 것도 여기선 정답다. 젊은 보트들이 거침없이 질주한다. 수상스키 타기에 성공했는지 줄에 매달려 잘도 서 있는 친구를 향해 외치는 젊음들의 갈채와 그 갈채를 받고 가슴을 편 젊음을 본다. 작은 것을 이루고도 우쭐해하는 우리를 경계하긴 하지만 오늘 만큼은 저 젊음에게 우쭐대기를 허하고 싶다.

누가 세월을 덧없다 하였는가? 저들은 결코 덧없는 지금을 보내는 게 아니다. 저 정다움들이 세월을 뜻있게 해 줄 것이다. 그래서 대성리의 시간은 사라지지 않고 쌓여간다. 그 시간들은 헛되지 않아 삶의 밑천이 되고 그 밑천이 쌓여 건강한 몸과 마음을 만들어 줄 것이다.

사위가 어두워진다. 잠시 후면 산의 녹색이 검은색으로 변하고 창날처럼 번쩍이던 물비늘들은 달빛을 받아 온화해질 것이다. 물비늘들이 희미해지면서 산 그림자의 윤곽이 선연히 드러난다. 산을 품은 강이 부럽다. 가슴에 산 하나 품었으면 좋으련만.

어스름이 일자 낮은 물새들이 산을 찾아 떠나고 주위에서 풀벌레 소리가 시작됨이 오늘 밤도 어김이 없다. 때가 되면 미련스럽도록 반복되는 저 집요한 삶들. 일어나 가려는데 대성리가 말을 건넨다. 생을 이어가게 해 준다면 그 무엇도 헛되다 하지 말라고, 미련한 그 어떤 것도 소중한 것이라고.

일어나 가려는데 대성리가 말을 건넨다.
생을 이어가게 해 준다면 그 무엇도 헛되다 하지 말라고,
미련한 그 어떤 것도 소중한 것이라고.

눈의 나라를 다녀와서

눈이 온다, 청명한 오르골 소리처럼 눈이 온다. 은가루마냥 반짝이는 노래가 순백의 악보 위로 내리면 사람들은 백학이 되어 하얀 날개를 흔들며 탄성을 지른다. 홋카이도(北海島)의 눈이다.

이 눈의 나라는 가벼움이 무거움을 눌렀다. 크게는 3미터나 됨직한 눈덩이들이 나무들 위에 둥지처럼 올라앉아 나무의 주인인 양하고, 가옥을 덮은 눈은 얼마나 두꺼운지 거대한 버섯이 지붕 위에 올라선 듯 보였다. 이 섬의 원주민인 아이누 족이 눈 좀 그만 오게 해달라고 제사를 지냈다 하니 눈의 위세를 알 만하다.

구름이 하루에 네댓 번씩 바닷물을 실어 나르는데 눈의 떼가 덮치면 산도 나무도 사람도 모두 하얗게 눈의 포로가 되고 만다. 오직 흐르는 물만이 포로가 되지 않고 자신의 색을 지켜내는 중이다. 정지 없는 흐름에는 이 북해도의 지배자도 어쩔 수 없나 보다.

박지원이 『열하일기』에서
요동 벌판의 광활함에 압도되어 일필(逸筆)했던 대로,
이 눈의 벌판 역시 '정말 한번 목 놓아 울 만한 곳'이었다.

내 삶도 정지되면 결국 무언가의 포로가 되고 말 것이다. 계속 흘러야 한다. 만족에 멈춘다면 그 어떤 떼에 덮여 나 역시 자신의 색을 잃고 말 것이다.

눈이라는 친숙한 존재를 이렇게 생경한 느낌으로 맞을 줄은 전혀 몰랐다. 눈앞에 펼쳐진 머나먼 설평선(雪平線)에 이르러서는 입이 쩍 벌어지면서 기어이 가슴이 부유하듯 둥실 떠오르고 말았다. 박지원이 『열하일기』에서 요동 벌판의 광활함에 압도되어 일필(逸筆)했던 대로, 이 눈의 벌판 역시 '정말 한번 목 놓아 울 만한 곳'이었다.

이곳의 산악은 화산 지대답게 경사가 심하고 골짜기가 많아 곳곳에 터널이 있다. 터널을 나올 때마다 '가와바타 야스나리'의 소설, 『설국(雪國)』 첫 문장이 생각났다.

'국경의 긴 터널을 빠져나오니 눈의 나라였다. 밤의 밑바닥이 하얘졌다.'

터널이라는 어둠이 끝나면 사치스럽도록 하얀 산에 하얀 자작나무 숲이다. 연이은 터널로 어둠과 밝음이 계속 반복되어 터널 통과 자체가 특별한 체험이다. 이런 풍광을 어데 기서 또 볼 수 있을까? 그것은 어두움 뒤에 갑작스레 나타나는 하얀 눈부심으로, 내게 사케를 따라주던 게이샤의 분칠 한 목덜미처럼 가깝고 환했다.

세이사의 십내를 빌은 석이 있나. 그녀가 내 코잎에서 고개글 숙이고 잔을 채울 때 목덜미 뒷등까지 하얗게 칠했음을 보았다. 얼굴부터 구객에게 보이는 뒤목까지 분칠을 하는 이유는 본래의 자신을 없애고 고객이 상상하는 대로의 모습을 만들기 위함이라 한다. 입술을 개성 없는 통일된 모양으로 오똑하니 붉게 칠함도 그러한 이유로 하는 것이다. 철저한 봉사정신이다.

하지만 그것은 일본 남자나 좋아할 일이다. 새하얀 귀신이 술을 따르려 갑자기 쓰윽 얼굴을 내밀었을 때 나는 무서워 그만 뒤로 자빠질 뻔했었다. 그때 얼마나 망신을 당했는지 모든 사람이 깔깔대고 웃었다. 버스가 컴컴한 터널을 빠져나오는 순간 천지가 불쑥 하얘질 때마다 나는 그 게이샤의 갑작스런 다가옴을 생각했던 것이다.

화산의 땅 홋카이도, 그 깊은 곳에 두려움과 고마움을 동시에 품고 있으니, 맨땅에서 난데없이 용천수가 뿜어져 나와 10미터 너비의 물길이 시작되는데 이 많은 물이 다 약수라 한다. 땅이란 안을 수도 버릴 수도 없는 신성(神性)!

검은 화산석 위로 용천수는 투명한 만큼이나 검게 보이고 물길 가운데로 크고 작은 돌들이 눈 벙거지를 쓴 채 하얀 바둑알처럼 군데군데 놓여있다. 머나먼 이국이어서 그런지 감동은 더 솟아오르고 검고 흰 조화에 눈 더욱 시리다. 무엇이 여백이고 무엇이 내용인가? 참된 조화란 서로를 여백 되게 하고 내용 되게 하는 것이리라, 그런 존재가 되어야 하리라.

검고 흰 조화에 눈 더욱 시리다.
무엇이 여백이고 무엇이 내용인가?
참된 조화란 서로를 여백 되게 하고 내용 되게 하는 것이리라,
그런 존재가 되어야 하리라.

큰 눈은 대체로 강풍과 함께 오는데 눈의 육중한 내림이 웅웅하여 사울림이 들리는 착각을 일으킨다. 눈이 오면 '산 깊은 곳에선 산이 울리고 바다 깊은 곳에선 바다가 울린다'는 『설국』의 표현이 이제야 이해가 된다.

내 고장의 나풀거리는 눈 내림을 보면서 모든 미련이 눈에 이르러서는 해탈인 줄 알았다. 그 해탈의 궁극을 보고 싶어서 눈의 나라로 여행 왔다. 그런데 막상 접하니 이 고장의 눈은 한이 맺혀 내달리는 몸짓이다. 거센 바람 탓에 눈은 호수에선 파도를 따라 수평으로 날리고, 건물 사이에선 사선으로 내리 꽂힌다.

150년 전 아이누 족은 이 눈을 맞으며 사무라이들의 칼을 피해 산으로 산으로 숨어들었을 것이다. 그들 대다수가 사라지고 이제는 2만도 채 남지 않았다 하니 그 한이 버겁겠다. 오키나와 류큐 족의 예도 그렇거니와 국가를 잃어버린 민족을 보니 일제의 강점에도 버텨낸 우리 민족이 대단하다는 생각이 든다.

일본에 올 때마다 느끼는 감정이 한(恨)이다. 마음 한편이 어두운 것은 우리 국민이라면 어쩔 수 없을 것이다. 그래도 이 하얀 세상을 보니 미래는 희어야겠다는 생각이 든다. 눈이 화해의 언어가 된다면 얼마나 좋을까? 우리와 일본 사람들이 이 눈밭에 와서 함께 춤을 추면 얼마나 좋을까? 눈이 두 민족 사이의 시(詩)가 될 날을 그려본다.

안 그래도 이곳에서 눈은 그 자체로 시여서 저 혼자만으로도 충분히 사람을 감동시킨다. 눈을 이용해 시라도 읊으려 했던 나의 생각은 어리석었다. 눈을 사랑해서 읊는 것이지 눈을 이용해서 읊는 게 아님을, 아니 시를 읊을 것도 없이 내가 그냥 눈이 되면 그것이 가장 좋은 시임을 알겠다.

도서관 가을 길

토요일이다. 도서관으로 간다.

도서관으로 이어지는 벚나무 산책길에는 무당거미가 흔하다. 배가 불룩한 암컷 한 마리가 집을 수리하고 있다. 자세히 보니 딱 세 개의 다리를 이용하여 집을 짓는다. 두 개의 다리로 세로줄과 마지막 가로줄을 붙들고 있다. 제3의 다리가 꽁무니에서 줄을 뽑아 세로줄 사이의 칸에 가로줄을 치면 다음 칸으로 가서 반복하기를 기계처럼 계속한다. 꽁무니에도 눈이 있는지 거미줄 맵시가 자로 그은 듯 일정하다. 쓱쓱 잘도 짓는다. 자연의 힘이렷다.

괜히 속이 상한다.

'끙, 내는 집 사느라 을메나 힘들었는디 쟈는 저리도 쉬이 짓나? 내도 저런 기술 하나 가졌으믄 그 고생 안 했을 턴디.'

괜한 억측을 부려본다. 이럴 땐 자연을 원망해야 하나?

무당거미는 10월 말이나 11월 초, 서리가 내리는 즈음에 나무

등걸 오목한 곳에 하얀 알집을 만든다. 그 속에 벌건 알을 수백 개 낳고 그 옆에서 알집을 지키다가 얼어 죽는다. 죽기 전에 자기 몸을 알집에 거미줄로 붙여놓고 죽어서도 알을 지킨다. 작은 곤충들을 잡아먹는 무당거미가 미워서 무당거미줄만 보면 나뭇가지로 마구 헤쳤는데 이 사실을 안 뒤로 퍽이나 미안했다. 그래서 시라도 써서 그 지극한 모성애에 경의를 표한다.

〈무당거미의 산란〉

도레미

서러운 서릿밤
자비로운 등을 내준 나뭇결에
고통의 어미
노오란 무당춤을 덩더쿵 춘다

벌건 옥동자 치마 쌈으로 덮어주고
여덟 버선발로 서리서리 다듬어
하얀 실 둘레둘레 명주 아쟁 켜본다

두 눈 부릅뜬 화석이여
누가 있어 이 밤을 지켜줄까
달빛조차 조마조마
밤새 눈을 못 감누나

도서관 옥상 앉을 자리 위로 등나무 꼬투리들이 주렁주렁 토실하다. 겨울이 오면 꼬투리들은 마르면서 휘어지다가 그 탄력으로 툭하고 터지면서 씨를 사방으로 뱉어 낸다. 등나무 꼬투리를 보니 작년 가을 생각이 난다.

치료실 밖에 자라는 등나무의 그 부드러운 꼬투리가 이뻐서 작년 늦가을에 하나 따다가 책상에 놓아두었는데 점점 휘어지는 것이 도대체 멈춤이 없었다. 반년쯤 지나자 좀 과장해서 동아줄처럼 비틀어지고 말았는데 그렇게까지 꼬인 모양은 본 적이 없었다. 씨를 내뱉으려고 저러는 것 같아 그제야 애타는 번식 욕구가 느껴졌다. 고생 그만하라고 씨를 빼내 숲에 던지고 꼬투리만 내 책상에 두었더니 그제야 휘어짐을 멈추었다. 어허 저런, 씨를 품고 있던 꼬투리는 그때까지 살아서 고문을 당하고 있었던 것이다! 아, 다시는 그런 짓 안하리라.

도서관 옥상에서는 산수유 열매가 선홍색을 찾아가는데 에고야, 나무 전체에 열매가 달랑 하나 열렸다. 올 여름에 가지치기를 너무 심하게 하더라니!

산수유 노래의 일품인 김종길 시인의 시 「성탄제」가 생각난다. 얼른 열람실에 내려가 시집을 찾았다. 시인은 어린 날 열병을 앓았을 때 아버지가 눈을 헤치며 따오신 산수유를 약으로 먹었다. 훗날 그때의 아버지 나이가 된 시인은 아버지의 그 '서느런 옷자락에' 자신의 뜨거운 얼굴을 '부비'던 기억을 떠올리며 아버지를 그린다.

시를 읽자니 나도 울 아버지 생각이 난다. 전라도 머나먼 섬에서 서울로 올라와 우리 세 오누이 가르치겠다고 온갖 고생을 하셨던 아버지, 대학 진학할 때 아버지의 뜻을 거스른 못난 나 때문에 울기도 하셨던 아버지, 나는 그 아버지에게 효도 한 번 제대로 못하고 지금까지도 아버지의 '서느런 옷자락에' 내 얼굴만 '부비는 것'이다. 올 성탄엔 다른 데 가지 말고 아버지께 가야겠다.

옥상 한쪽에서는 라일락 하트 모양 잎이 적갈색으로 물들어간다. 가을의 힘이다. 라일락은 향기가 뛰어난 대신 단풍색은 보잘것없어서 라일락을 보면 공평함이 느껴진다. 라일락 뒤로 이팝나무 어린 것들의 껍질이 해진 책갈피 마냥 부르텄다. 느티나무는 줄기로도 광합성을 하려고 수피가 자꾸 벗겨진다 하던데, 얘들도 그리 하려는가? 궁금하다. 내려가서 관련 서적을 찾아봐야겠다.

가을이다, 도서관이다!

자연다움

지적(知的) 장애인에게는 삶을 관조하게 해주는 그 어떤 힘이 있습니다. 그 힘은 '자연다움'입니다.

세속에 때 묻지 않은 모습, 본능에의 충실, 거짓 없는 순수, 교묘함이 없는 말과 표정 등등.

나는 장애인공동체에서 일하고 있습니다. 이들과 함께 하면 나는 조금 더 자연인이 됩니다. 이들의 '자연다움'으로 나의 '자연답지 않음'을 치료받는 것입니다.

'자연다움'이란 때론 제어할 수 없는 본능이어서 지적 장애인을 돌보는 데에 많은 어려움이 따르는 게 사실입니다. 때와 장소를 가리지 않는 본능의 출몰이 그러합니다. 다 큰 어른이 이불에 대소변을 실금한다든지, 갑자기 주먹이 날아온다든지, 다과를 뺏어 먹는다든지 하는 일들은 지적 장애인 공동체에서 비일비재합니다.

물론 모든 지적 장애인이 그러하지는 않습니다. 오히려 주위를 편안하게 해주는 사람도 많습니다. 사회복지인에게 이런 분들은 큰 힘이 됩니다. 일을 덜어주고 때론 도와주기까지 하는 흐뭇한 동지입니다.

일부 지적 장애인들로부터 발생하는 갑작스러운 상황에 우리 사회복지인들은 적잖이 당황합니다. 당장의 상황을 해결하는 것도 쉽지 않을 때가 많고 안 그래도 많은 일과가 더 과중해집니다.

그렇다 하더라도 여기서 간과해서는 안 될 사항이 하나 있는데 그것은 이러한 본능 너머에 순수(純粹)가 존재한다는 사실입니다. 다 큰 어른이 순수한 어린 왕자로 보이고 그래서 결코 그들이 미워지지 않습니다. 이것은 우리 인간 마음이 지닌 이상한 현상입니다. 미우나 미워지지 않는 사람, 그가 지적 장애인입니다.

물론 이를 처음부터 알기는 어렵습니다. 그래서 처음엔 힘들지만 이 일을 계속 하다 보면 본능 너머의 순수를 체득하게 되는 날이 옵니다. 사회복지 일은 그때까지가 어렵습니다.

여러 사람이 이 단계를 넘기지 못하고 이 일을 포기합니다. 사람에겐 자신만의 삶의 양태가 있으니 그들을 탓할 수는 없습니다.

하지만 또 그만큼의 사람이 이 단계를 넘어서고 있음은 무척 고무되는 일입니다. 내가 볼 때 그들은 이 일에 적합한, 바로 '자연다움'을 품은 사람들입니다. 그를 역시 월급이 필요해서 이 자리에서 일하지만 '자연다움'이 없다면 오래 버티지 못했을 겁니다.

　복지 현장에 서면 '자연다움'을 품은 사람이 이 사회에 많이 있음을 알 수 있습니다. 엊그제 6월 6일이었습니다. 우리 시설의 장애인들을 위해 지난 30년간 봉사를 해 온 봉사단원들이 찾아왔습니다. 30년이나 한 달에 한 번씩이요!
　그들과 직원들이 함께 연합캠프를 했습니다. 그들에게 감사와 존경을 표하는 자리였지요. 선물을 나누고 고기를 굽고 작열하는 태양 아래서 레크레이션으로 물풍선을 터뜨리면서 지고의 정을 나누었습니다.
　수십 년 세월에 스스럼없는 사이가 되고 만 사람들이 모였고 그날 나는 그 가운데에 '자연다움'이 있음을 보았습니다.
　'자연다움'에 취해 일하는 사람들과
　'자연다움'이 그리워 찾아오는 봉사자들을 말이죠.

　물풍선이 터질 때마다 '자연다움'으로 마음이 살랑 젖었습니다.

자발적 격리

시절이 또 한 고비를 넘고 있습니다. 200명이나 되는 장애인을 돌보는 우리에게는 정말 큰 고비입니다. 이름조차 말하기 싫은 감염병이 찾아왔습니다. 거론도 하기 싫은 이름, 코로나 19. 나는 이 전염병을 고유명사로도 취급하고 싶지 않아 이름에 고유명사 표기인 따옴표조차 붙이지 않겠습니다.

이 감염병으로 지구촌이 얼어붙었습니다. 중국에서 시작돼 우리나라에 번지더니 지금은 전 세계가 벌벌 떨고 있습니다. 이로 인해 일상이 완전히 무너져서 개인과 공동체의 삶이 흔들리고 있습니다.

코로나 19 소식을 접하면서 우리 시설은 연일 비상회의를 했고 대책 마련에 골똘했습니다. 그러던 차에 경기도로부터 직원들은 앞으로 한동안 집에 가지 말고 시설에 거주하면서 장애인을 돌보라는 명을 받았습니다. 네밍직 코오드 직티를 하다는 밀이죠.

직원이 150명 되니 출퇴근하는 직원 중 한 명만 확진 판정을 받아도 장애인 포함 350명이 감염될 수 있어서 우리도 큰 염려를 하고 있던 판입니다. 어쩌면 차라리 잘됐다고까지 생각했습니다. 더 긴장했던 쪽은 경기도보다 실은 우리니까요.

도의 방침에 따라 우리는 시설에서 기꺼이 최소 보름간 격리되기로 하고 모두들 옷 보따리를 싸들고 회사로 모였습니다. 그런데 다음날 도의 지침이 바뀌어 내려왔는데, 예방적 코호트 격리를 취소하고 대신, 출퇴근은 하되 가정에서 자발적 격리를 하라는 내용이었습니다. 하루 만에 경기도 지침이 이랬다저랬다 합니다. 초유의 사태 앞에서 전문가들도 어쩔 줄 몰라 우왕좌왕 하는 것 같습니다.

도는 예방적 코호트 격리를 명령한 뒤 수많은 시설들로부터 다음과 같은 결정적인 어려움을 전달받고 고민했다고 합니다.

하나, 주부 직원이 반이 넘고 어린 자녀를 둔 직원이 많다.

둘, 시설 내에 직원들의 숙소가 없다. 각 사무실 바닥에 자리를 깔고 자야 할 판이다.

셋, 이 많은 직원의 하루 세 끼 식사를 준비할 인적 물적 여력이 없다.

이 밖에도 몇 가지 더 있지만 대체로 이러한 것들이 경기도의 방침을 바뀌게 한 이유였습니다. 우리 역시 코호트 격리 명령을 받고 직원들을 어디서 자게 해야 할지 연구(?)하고 있었습니다. 각 사무실을 다니며 방법을 강구하던 원장님은 우리 물리치료실을 둘러보며 다섯 명 정도 여기서 자야 하겠구나, 하고 간 적도 있습니다. 하지만 태부족이지요. 결국 도의 지침이 변경되어 이런 고민은 사라졌지만 가정도 소중하고 예방적 격리도 필요한 상황이라 우리는 웃어야 할지 울어야 할지 몰랐습니다.

우리 시설에서는 감염병 소식을 들은 다음날부터 예방 지침을 시행하였는데 상급기관의 지침이 내려오기도 전이었습니다.

직원과 장애인 모두 하루 세 번 체온 검사, 외부인 출입 금지 및 외출 금지, 마스크 착용, 모임 중지, 퇴근자 자가 격리 등등.

출근과 동시에 정문에서 체온 검사를 해서 37도 이상의 발열자를 집으로 돌려보내 보건소의 PCR 검사를 받게 했고 음성으로 확인되면 출근하도록 했습니다. 다행히 모두 음성이 나왔습니다. 다만 어려운 점은 그 직원의 손길을 받지 못한 장애인은 다른 직원이 맡아야 했기에 우리 일이 더 힘들어졌습니다. 그만큼 장애인도 힘들어집니다.

아침에 체온 검사 하는 일은 겨울에 특히 힘들었습니다. 생활교사를 제외한 지원부서 직원들이 매일 아침 두 명씩 담당을 정해 아침 7시부터 9시까지 체온 검사를 하였는데 담당자가 감기에 걸릴 지경이었습니다. 꽁꽁 어는 날씨에 체온계마저 얼어붙어 측정이 한참 걸렸습니다.

가장 어려웠던 조치는 일주일에 한 번 전 직원이 PCR 검사를 하는 일이었습니다. 처음에는 보건소로 가서 하다가 보건소 업무 과중으로 나중엔 자체적으로 우리 간호사들이 검사를 시행하였습니다. 대략 다섯 번째 검사까지는 코가 민감하더니 그 후로는 조금 둔해지더군요. 검사 횟수를 대충은 헤아렸는데 48번째까지는 세었던 것 같습니다. 하도 찌르니까 이건 내 코인지 남의 코인지도 가름하기 싫었습니다.

한편 외부인의 출입을 일절 금하여 그 탓에 자원봉사자와 후원자마저 못 들어옵니다. 이러다가 소중한 도움들이 아주 끊어지지 않을까 걱정입니다. 어디 우리뿐일까요, 온 국민의 걱정이겠죠. '사회적 거리두기'로 수입이 끊어진 가게의 그 노심초사를 말로 표현할 수 있겠습니까? 어서 이 어려움을 극복하고 일상으로 돌아가길 학수고대합니다. 일상이란 단어가 이토록 소중한지 몰랐습니다.

출퇴근 직원의 자발적 가정격리는 순조롭게 지켜지고 있습니다. 우리는 퇴근 후의 동선을 매일 상세히 기록하여 보고합니다. 마트를 가도 일일이 적어야 합니다. 나는 두 달째 부모님께 가지 못하고 안부 전화만 합니다. 이 와중에 제 차가 고장나서 엔진 수리로 옆 동네의 서비스 센터를 다녀왔고 이를 보고하는 자리에서 직원들에게 놀림을 받았습니다. 차가 코로나에 걸려 100만 원짜리 마스크를 썼다고요. 확 한 대 때려주고 싶엉!

마스크 얘기 말인데요, 코로나 터지자마자 우리 의료팀에서 서둘러 천 장을 샀는데 이렇게 길게 갈 줄이야, 금방 동이 났습니다. 구입도 어려워졌고 또 워낙 많은 양이 필요한지라 우리는 큰 일 났지 싶었습니다. 다행히 관청의 공적 마스크 지원이나 사회복지협회의 마스크 지원이 이어지면서 겨우겨우 수급을 맞추는 중입니다.

종일 마스크를 쓰느라 답답해 미칠 노릇입니다. 하기야 격리의 답답함에 비할 데 있겠습니까만. 우리들은 영화 관람이나 쇼핑, 나들이나 여행을 이젠 하나도 못합니다. 하나도요! 그렇지만 감내하고 있습니다.

이럴 때 원내 물리치료실의 존재는 대단한 힘을 발합니다. 장애인들이 답답함을 풀 공간이 됩니다. 아프다는 이유로 쉽게 방 밖으로 나설 수 있으니까요. 휠체어를 타고 오거나 절름절름 걸어 들어옵니다. 성한 사람은 없습니다. 와서 허리며 무릎에 찜질을 하고 시원하게 나갑니다.

물리치료실 근무는 나 혼자입니다. 국가는 장애인이 10명이든 200명이든 시설 당 물리치료사 1명밖에 정원을 주지 않습니다. 내 업무를 보조해 주던 사회복무요원(공익)이 한 명 있었는데 그마저 사라졌습니다. 우리 시설에는 공익이 여럿 있는데 그들 역시 외부 봉사자들처럼 시설 출입금지 대상이 되면서 그리되었습니다.

온 나라에서 확진자가 속출하면서 우리 시설은 이제 섬나라가 되고 말았습니다. 아니 우리뿐 아니지요. 나라의 모든 사람이 섬나라 주인이 된 꼴이지요. 이럴 때일수록 자발적으로 섬 주인이 되어야 할 것입니다. 바로 '자발적 격리'지요.

자신을 자발적으로 억제하는 힘은 어쩌면 생존본능에서 나오겠지만, 이 힘의 또 다른 원천을 찾자면 배려와 사랑이겠습니다. 그렇다면 이 시점의 자발적 격리란 자신과 타인을 위하여 살아가는 아름다운 일일 것입니다.

해 보고 달 보고

여름내 천둥 치던 매미가 귀신처럼 갑자기 사라졌습니다. 매미는 '석 달 열흘 해 보고 운다'고 소설가 '이외수' 아저씨가 그러셨는데 그게 사실이라면, 하도 징징대서 해가 쫓아버린 게 분명합니다. 어제는 해가 너무 뜨거워 우리도 쫓겨났지 뭡니까.

해서 그 '작열쟁이 해'를 내가 어제 쫓아버렸어요. 하도 뜨거워서 뭐라 했더니 어디 가고 없는 거예요. 대신 오늘은 '다정 해'가 나타나서 너무 좋답니다. 가끔은 야단도 칠 법합니다. 매사를 웃어만 줄 필요는 없겠단 생각.

작열쟁이는 내년에 다시 오겠죠? 그땐 반성 좀 할는지. ^.^

며칠 전, 일을 마치니 저녁 9시. 꽃 같은 달이 환했죠. 퇴근하려다 너무 힘들어서 치료대에 누워 쉬다가 무슨 대화를 엿듣게 되었는데 갑자기 귀뚜리들이 울더란 말입니다. 그런데 그 소리가 영락

없이 하소연이더란 말입니다.

피곤한 나는 스르르 잠이 들려다 말고 귀가 쫑긋 눈이 방울 해졌죠. 왜 저 난리지? 달이 떴으렷다, 달 보고 우나?

배가 제법 찬 달이 회색빛 구름 뒤로 이따금 얼굴을 내미는 것이 아하! 귀뚜리들 이야기를 들어주는 게 분명했습니다. 그러자 얘들은 더욱더 목청에 힘을 주고 난리가 났어요. 궁금해집니다. 해는 시끄럽다 쫓아냈는데 달은 어찌하려는지?

달의 숨소리는 차분했어요. 작열쟁이처럼 거칠지 않았죠. 소설 『메밀꽃 필 무렵』에서 효석 할아버지가 달의 숨소리를 짐승 같다고 했는데 지금은 전혀 그렇지 않은데요?

어느덧 이야기가 무르익고 있습니다. 하소연의 요지는 이랬습니다. '짝을 잃었다, 개미한테 한 다리를 뜯겼다, 쟤 땜시 못 살겠다 등등.'

아이쿠야, 불만투성이네요. 듣기에도 피곤해요. 이따금 들리는 행복하단 얘기는 난리 속에 묻히는 게 완전 9시 뉴스네요. 귀뚜리들이 왜 밤에 우는지 알겠어요. 저런 이야기는 달님에게 해야 제격이거든요. 햇님 같았으면 야단만 쳤을 거예요. 포근한 달님은 분명 따뜻하게 말해줄 거예요.

그래서 달은 옛부터 많은 존재로부터 사랑을 받았나 봅니다. 물 분자들이 저 넓은 바다에서 평생 썰고 미는 것은 달을 사랑해서 라시요? 널을 따라 바닷물 전체가 움직인다 아디군요. 보름딜이 뜨면

먼바다 너울이 300m까지도 치솟는 걸 보면 가히 엄청난 사랑입니다. 우리 마을 시냇물조차 달은 품어도 해는 돌려보냅니다. 달 보고 노래한 시인은 많아도 해 보고 노래한 시인은 별로 못 봤어요. 달 보고 우는 사람은 있어도 해 보고 우는 사람 없지 않습니까?

영하 30도의 백마고지 앞 철책에서 한 초병의 기나긴 밤을 위로해준 것도 달이었지요. 고즈넉한 고라니 울음이 산허리를 두를 때 초병은 산의 울음을 들었지요. 수많은 병사들의 몸이 아스라이 부서진 고지에서 초병은 달의 눈물을 보았지요.

사랑받고 싶다면 달 같은 사람이 되어야 할 것입니다. 그대 앞에서 속 터놓고 우는 사람이 있다면 그대는 달이 된 겁니다. 그대를 위해 시를 쓰는 사람이 있습니까? 감사와 사랑과 희생이라는 시를 말입니다. 그렇다면 그가 달인 줄 아십시오.

밤이 깊어 갑니다. 귀뚜리와 달님 사이의 속 깊은 대화를 끝까지 들었으면 좋으련만 이제 일어나 집에 가야 합니다. 마르지 않는 물길처럼 이어지는 그 긴 이야기를 모두 아는 분이 계시면 누가 좀 들려주실래요?

외로운 향나무

나무는 민족의 역사다. 오랜 세월을 견딘 나무라면 더욱 소중한 역사다. 용문사 은행나무 앞에 서면 그 생태적 가치에 경외심을 느낄 뿐만 아니라 역사적 자부심까지 가지게 된다. 숱한 외세의 침략에도 우리 조국이 굳건히 버틴 것은 역사와 문화의 저력 때문이다. 홋카이도의 아이누 족이나 오키나와의 류쿠족이 일제에 영구 합병된 것을 보면 우리 민족에 대한 자부심을 가져도 좋을 것이다.

우리나라의 천연기념물에 대한 보호의식이 점점 좋아지고는 있지만 가까운 일본에 비하면 아직 부족하다. 일본은 '특별 천연기념물'이라는 명칭을 두어 보존가치가 월등한 천연기념물을 별도로 관리한다. 우리나라에 없는 제도라 그 관심과 애정이 사뭇 부럽다.

우리 옆 동네에 천연기념물로 지정된 향나무가 있다기에 찾아갔다. 도로에 설치한 기념물 안내 표지판을 따라 마을길로 들어섰다.

이곳저곳 부서진 시멘트 길로 가야 해서 운전이 조심스러웠다. 길이 막혔는데 주차할 곳이 마땅치 않아 한쪽에 대충 차를 세웠다 허름한 공장 지대였다. 내려서 걸어가자니 길이 어째 개인집으로 들어가는 모양새라 망설이는데 대문 같은 것이 나오고 그 뒤로 차도로 보이는 흙길이 산으로 이어진다. 남의 집으로 들어가라는 말인가? 개라도 있어 사납게 굴까 봐 겁이 났다.

어디로 가야 할지 알 수가 없는 가운데 무더운 정오의 하늘로 새한 마리가 길게 울며 날아간다. 이렇게 헤매느니 저 소리를 따라가는 게 낫겠다. 왠지 나무에 대한 기대감이 준다.

조심조심 정면의 활짝 열린 대문을 따라 들어서니 50m쯤 지나 좌측으로 커다란 나무가 보인다. 아름드리 한 것이 한눈에 보아도 천연기념물임을 알겠다. 다시 기대감이 솟는다. 나무 뒤로는 나지막한 야산이 병풍처럼 둘러 서 있다. 나무까지 20m 정도 보도블록을 깔아 길을 내었지만 잡초가 듬성듬성 올라 피해가야 했다.

이 나무는 천연기념물 제232호로 수령이 약 500살이다. 선조를 모신 묘소 옆에 심은 것으로 조상을 섬기는 민속 문화를 알 수 있는 자료라 보존가치가 크다고 적혀있는데 무덤은 사라지고 비석만 남아 세월을 지키고 있다. 수령이 500년을 넘는데도 천연기념물로 지정되지 못한 나무들이 꽤 있는 걸 보면 이 나무의 민속성을 높이 산 것 같다.

세 개의 뿔이 솟은 형상이 마치 나무 세 그루가 한 곳에 모여 있
는 듯한데, 우람한 양 어깨에 장수(將帥)의 기개가 느껴진다.

세 개의 뿔이 솟은 형상이 마치 나무 세 그루가 한 곳에 모여 있는 듯한데 우람한 양 어깨에 장수(將帥)의 기개가 느껴진다. 줄기 휘어짐이 신선이 노니는 길 같다. 창덕궁 향나무 정도의 과격한 구부러짐은 아니지만 절제된 굴절이 느껴진다. 거기에 향나무 특유의 세로줄 수피를 더하니 향나무 장수목(長壽木)들이 보여주는 선(禪)의 경지에 어김없다. 사라진 무덤을 지키는 비석까지 더해지니 그 예스러움에 나무 주위로 세월이 그윽이 누웠다. 멀리서 볼 때는 벗인 듯 반갑더니 가까이 다가가니 조상님인 듯 경건해진다.

안타깝게도 이끼가 나무 끝까지 가득하다. 밑동에서 시작하여 우듬지까지 점령했다. 나무는 이끼를 스스로 퇴치하는데 이 거대한 장수목은 힘에 부치나 보다. 가지를 버티는 쇠기둥이 7개 있고 줄기 일부는 심재 보호용 시멘트로 두껍게 덮였다. 그래도 잎이 무성하여 수세(樹勢)는 약해 보이지 않는다. 세월에 지친 와중에도 푸른 잎으로 한껏 자신을 단장한 나무의 성실함에 고개가 절로 숙여진다.

나무의 좌측에 있는 단풍나무 양묘장에서 올라오는 계단이 풀포기에 가려 얼핏 보인다. 자세히 보지 않으면 계단이 있는지도 알기 어려웠다. 발걸음이 끊어진 지 오래임을 한눈에 보아도 알겠다.

나무 옆으로 10년쯤 돼 보이는 주목나무 묘목들이 심겨 있고 그 뒤로 커다란 연못이 있다. 인공 연못이 분명한데 아침이면 인근에 안개를 자욱하게 펼칠 테다. 나무에 이끼가 가득 덮인 이유를 알겠다. 사유지 같지 않아 보이는데 이런 곳에 연못이 있다니 안타깝다.

향나무 특유의 세로줄 수피를 더하니 향나무 장수목(長壽木)들이 보여주는 선(禪)의 경지에 어김없다.
멀리서 볼 때는 벗인 듯 반갑더니 가까이 다가가니 조상님인 듯 경건해진다.
사라진 무덤을 지키는 비석까지 더해지니 그 예스러움에 나무 주위로 세월이 그윽이 누웠다.

이 천연기념물뿐 아니라 주위의 대부분의 나무에 이끼가 가득 덮혔다. 울타리를 세우고 심재보강작업을 하는 등 나무를 돌보기 위해 시도한 여러 노력들이 무색하게 느껴질 정도다.

화살 같은 햇살을 피해 노랑나비 한 마리가 나무에 앉는다. 갑자기 마음이 외로워진다. 500년 세월이 무색하도록 찾는 이 없는 가운데 나비들만 숱하게 다녀갔겠다. 이렇게 외진 곳에서 홀로 역사를 떠받치는 나무를 보니 나무에게 죄송하고 가슴마저 아프다. 거대한 나무가 외로워, 아니 서러워 보인다. 우리 동네 천연기념물은 이미 충분히 외롭다. 접근로와 주변의 녹지를 좀 더 정비하여 찾아오고 싶은 곳으로 바꾸었으면 하는 마음 간절하다.

자연이란 존재는 사람이 찾지 않을수록 좋을 테지만 그래도 오늘 많이 서운하다. 접근로가 엉망인 데다가 나무 주변이 습하고 을씨년스러워 오래 머물고 싶지 않다. 이래서야 이 나무를 잘 보존한다고 말할 수 있을까? 원주 반계리의 800년 은행나무는 전용 주차장에 화장실과 조망 데크까지 갖추고 있어 가족 단위 소풍객들이 머물다 가기 좋다. 게다가 수시로 관리인이 와서 주위 청소를 한다. 방문객들이 드문드문 찾아와 나무 앞에서 위로를 받고 민족에 대한 자부심을 얻어 돌아가곤 한다.

일전에 성균관 문묘의 은행나무를 찾아간 적이 있다. 웅장했다. 주변이 잘 관리되어 애정을 듬뿍 받는 나무임을 한눈에 알 수 있었다. 나무 앞에서 많은 학생들이 선생님과 더불어 나무에 대한 사랑을 다지는 모습을 보았다. 수업의 일환인 듯했다. 이 아이들이 크면 나라와 나무를 자랑스러워할 것이다. 나는 그날 반나절을 나무와 함께 놀았다. 나무가 나를 반겨준다는 느낌이 들었기 때문이다.

그런데 오늘 이 나무는 전혀 그렇지 않다. 반기기는커녕 오히려 나더러 어서 돌아가라 한다. 인간에 대한 애정을 잃었다 한다. 울타리를 치지나 말지, 오지도 않을 거면서 자신조차 들도 나도 못하게 했다고 원망을 한다.

신목(神木), 이천 반룡송

나무는 수령에 따라 그 앞에 섰을 때의 느낌이 다르다. 수백 년 된 나무를 볼 때면 존경심이 일어나고 오백 년 정도 된 나무 앞에 서면 먼 조상님 앞에 선 기분이어서 재롱이라도 피우고 싶다. 천년 정도 된 나무 앞에 서면 도저히 재롱을 피울 수가 없다. 경외심에 그만 마음이 숙연해지기 때문이다.

천년을 살았다면 신(神) 같은 나무들이다. 그런데 오늘 진짜 신이라고 느껴지는 나무를 만났다. 경기도 이천에 있는 천년 반룡송(盤龍松)을 찾았을 때 경외심을 넘어 신의 현현을 느꼈다. 나무는 꿈틀대고 있었다. 용틀임이 얼마나 극적인지 용이 고통 중에 그대로 나무로 변한 모습이었다. 나무 아래 누워도 보았는데 신이 내려다본다는 느낌에 오싹하기까지 했다. 이 나무, 우와, 신목으로 모셔도 수도 없이 모셨겠다.

나무는 꿈틀대고 있었다.
용틀임이 얼마나 극적인지 용이 고통 중에 그대로
나무로 변한 모습이었다.

작은 숲처럼 보이지만 이게 다 한 나무다.

높이가 5m도 안 되는데 너비는 30m에 이른다. 작은 숲처럼 보이지만 이게 다 한 나무다. 천연기념물 381호, 신라 말 승려 도선이 심었다는 유래가 전해진다. 천년 세월답게 수피의 소나무 육각이 긴 것은 30cm나 된다. 나무는 바닥에서 1.5m 정도 높이에서 원줄기 포함 6개의 줄기로 분지 하는데 저마다 용틀임 몇 바퀴는 기본이다. 좌로 틀다 우로 틀다 그 형상이 다양한데 글자로 모양을 표현하자면 ㅈ자, ㄹ자, 심지어는 ㅇ자도 있다. 입이 다물어지지 않았다. 바라보는 호흡이 깊어지고 천년의 세월을 견딘 나무에게 절이라도 하고 싶었다.

반송은 쟁반 반(盤) 자를 쓰는데 반룡송 역시 반송답게 둥그렇게 쟁반 모양의 수형을 하고 있다. 가지 하나가 10m나 되다 보니 끝이 땅에 닿아 머리를 숙여야 지나갈 수 있다. 버팀 기둥이 하도 많아 일일이 세 보았더니 우와, 32개다. 그래도 나무는 튼실하여 잘 살고 있다. 천년이 지나도 이렇게 튼튼하다니 나무란 도대체 무엇인가?

나무 주변이 2만 평쯤 되는 밭인데 나무는 그 한가운데에 있다. 진입로가 밭으로 이어지는데 트랙터용 흙길이었다. 사유지 침범 같아 마침 근처에 있던 주민에게 확인을 하고서야 걸어 들어갔다. 반룡송 입구에 중국산 나무인 백송 한 그루가 신하처럼 서있다. 하필 중국산을 여기에? 기분이 좋지는 않았다. 곰곰이 생각해보니 인근에 300년 된 천연기념물 백송이 있는데 아마 그 때문인 것 같다.

안내문을 자세히 보니 나무가 의정부에 사는 모씨 소유리고 쩍히 있다. 천년 나무가 개인 소유라니 좀 안타깝다. 그래도 나무는 아무 말이 없다. 세도를 외치기는커녕 오히려 보일 듯 말 듯 낮게 누워 있을 뿐이다. 욕망도 권세도 지나가고, 바람도 시름도 지나간다는 말없는 언어다. 그 말없음이 호령이요 권세 같다. 그러기에 우리는 나무를 존경하는 것이다.

나무 앞에서 오후 내 글을 읽었다. 읽는 가슴이 깊어진다. 해는 서산에 기울고 조용히 밤이 내려앉는다. 이 나무, 그간 내려앉은 밤이 몇 밤이나 될까? 떠나기 전에 실례를 무릅쓰고 나무 아래에 누워보았다. 신이 내려다본다는 느낌에 다소 오싹하였지만 나의 조상이라는 생각에 그 맘은 이내 가시고 몇 대 조 할머니 품에 안기는 느낌이 찾아왔다. 친숙하면서도 아련하게.

아래에서 바라보니 용틀임이 더욱 뚜렷하여 민족의 아픔을 다독이느라 저리 용을 틀었구나 하는 생각이 절로 난다. 나무 앞 이 너른 평야에서 몽골의 발굽 아래 짓밟힌 백성들을 보았겠고, 왜놈들의 학살에 귀가 잘린 조선인들을 보았을 터.

얼마나 많은 백성들이 이 나무에게 소원을 빌었을까? 나무 밑에는 아예 네모난 제단석이 있다. 입구에 '무속행위 금지, 유기징역 3년 이상'이라는 경고문이 붙어있음에 그 수효를 가히 짐작하겠다.

괜한 감정 과잉에 빠지다가 들판을 바라보았다. 이 너른 밭에서 아까부터 두 농부가 종일 수고하고 있다. 이제 집에 가려는지 차를 댄다. 9월이다. 구름의 자취가 동쪽 멀리까지 애써 뻗어나가 하늘을 넓혀준다. 저리 수고로이 그리고 평화로이 살아가라고 오늘 하루, 나무도 하늘도 넓고 푸르렀구나.

〈 이천 반룡송 〉

도레미

용의 노래를 따라 천 년 사연을 찾았더니
흙을 구워 밥을 먹던 설운 조상님들
나무 아래 다 모여 있다

홍철릭 긴 소매가 한에 닿은 나무 밑
이방의 말발굽 소리 설운님들 짓밟았어도
흔들림 없는 춤사위에 내 민낯이 후끈하다

천년 사다리 끝까지 오른 가지의 눈물
질세라 들녘 바람 가지 따라 굽어지다

바람도 천년 되면 굽어지는 걸
인생 백년에 굽었다 서러우랴
장엄한 굽이란 설움만은 아니라고
마음 하나 애써 주억거린다.

세 밑 단상

　지하철 상봉역은 연말로 달려가는 사람들로 북적북적합니다. 열차 시간표는 달리는 마음들을 잠시 붙잡아 세워놓습니다. 줄 서서 기다리는 발치마다 서울의 연말이 서있습니다. 모처럼 동창들을 만나러 전철을 탑니다. 저녁 7시 반, 얼마나 사람이 많은지 출렁이는 행렬에 밀려 도대체 배를 탄 건지 기차를 탄 건지 모르겠습니다.

　바람이 나를 매섭게 데려가는 터널에서 어두운 창문에 비취는 분주한 얼굴얼굴. 마음은 각자의 종착역에 두고 몸만 서둘러 데려가는 표정들입니다. 2017년 세(歲) 밑을 파헤치면 웃음이든 눈물이든 한 바가지 넘게 나올 얼굴들. 이 좁은 틈새에서도 핸드폰을 만지작거리는 이를 보면 카톡 문자가 수만 바가지 나오겠습니다.

　저 분주함에 무너지지 않으려고 모두들 두 다리를 버티고 서있습니다. 저도 단단히 버티어 봅니다. 올해도 많이 바빴지요. 안개 같은 삶을 느끼지만 무너지긴 싫습니다. 보이지 않는 내일을 향해 공간을 찢고 또 찢으며 달립니다.

와자지껄 판으로 유명하다는 인사동 식당으로 갑니다. 종로3가역 1호선에서 5호선 출입구로 나가는 환승 길은 1km는 되는지 오르내리다 길을 잃어 오던 길로 다시 가고 마는데 촌놈은 모처럼의 서울 길에 헤맵니다. 어제 조기 축구 도중 쥐가 나서 절뚝거리는 걸음인데 말이죠.

친구들을 만나면 내 삶의 속도를 가늠해볼 수 있지요. 조금 쉬었다 가야 하는 건지 너무 느린 건 아닌지 방향은 맞는지 느낄 수 있습니다. 또한 그들은 내 삶의 진통제입니다. 아픈 가슴에 멍이 풀리죠. 옛 시절로 달려봅니다. 부딪히는 잔에 우정을 마시고 오가는 당구공에 애환을 굴렸지요. 늦둥이 목욕시키는 이야기며 우리 딸 취직자리 어디 없냔 이야기, 시골집 어르신들 안부까지. 당구 쿳대질 허탕이라도 즐거웠습니다.

역시 연말 거리는 추워야 제 맛이고, 포장마차 어묵국에 김이라도 푹 쐬야 연말 잘 보냈다 하겠습니다. 친구들과 오징어 튀김 간장 찍어 먹으며 다들 수고했다, 이 한 마디면 우린 올 한 해 잘 살았다 느끼렵니다.

돌아보면 모 시인의 표현처럼 올해 종이 귀신으로 살았습니다. 글이 있어 행복했습니다. 글 선배님들에게 빚을 많이 지었네요. 하지만 요즘 도통 펜을 잡지 못하니 큰일입니다. 빚을 갚아야 하는데

요.

야구으로 묽든 나날이었어도 이따금씩 품치 깊은 곳에서 흐뭇함을 누렸습니다. 호수며 산으로, 혼자 혹은 둘 셋이서. 이럴 때면 시간은 흘러가버리는 게 아니라 흐뭇하게 쌓여갑니다.

올해는 유독 장애인들과 살갑게 지냈습니다. 저는 15년째 장애인 시설에서 물리치료를 해드리고 있는데 올해 유난히 그들과 개인적인 시간을 많이 보냈습니다. 장기 오락으로, 산과 들로 말이죠. 그들은 대부분 자기 삶의 히스토리를 모르는 사람들입니다. 바람이 불어다 놓은 사람들이죠. 그래도 남은 게 있다면 언제나 맑은 그네들의 마음, 욕심이 없으면 근심도 없다는 그네들의 진리입니다.

멈출 곳 찾기 힘든 안개 세월이 또 한 해 넘어가네요. 어디쯤 가면 우리는 멈출까요? 로마인들이 그려낸 달력에 괜한 속상함을 뽑아내는 이맘때, 희망과 그리움이 분주함에 무너지지 않기를 나의 하나님께 기도해 봅니다.

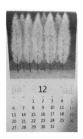

비운다는 것

조류 연구가 '도연 스님'이 이런 말씀을 했습니다.

"하느님은 새에게 손대신 날개를 선물했다. 소유하지 않아야 자유롭게 날 수 있음을 가르치고 있는 것이다."

하아, 참 좋은 말입니다. 읽는 순간 마음이 가벼워지네요. 그런데 소유하지 말라느니 자유롭게 날라느니 하는 말이 어째 나에겐 돈벌려고 애쓸 것 없다는 말로 들립니다요. 아이고 좋아라. 곳간이 텅텅 비더라도 여행이나 다닐까?

그렇지 않겠지, 그런 말이 아니겠지요. 스님은 아마도 대붕(大鵬)의 소요유(逍遙遊), 즉 절대 자유의 경지를 말했을 테지만 나 같은 필부에겐 어림도 없는 일이고 다만 한갓 자유로운 노닒 정도로 들려오는 것입니다요.

자유 본래의 뜻이야 어떻든 간에 새의 자유로운 비행이란 무엇을 위함일까요? 북극 제비갈매기가 남극까지 오가는 수억 번의 날갯짓이 어디 놀기 위함이겠습니까? 양식을 얻고 짝을 찾기 위함이요 계절을 찾아 생존을 이어가기 위함입니다. 새에게 자유의 목적은 노닒이 아니라 생존인 것이죠.

그렇다면 사람은? 하나님은 사람에겐 날개 대신 손을 주셨습니다. 새가 날개를 비우듯 사람은 손을 비우고, 새가 날개를 부지런히 젓듯 사람은 손을 부지런히 하라는 뜻이지요. 여기서 손을 비우라는 말은 탐심을 비우라는 말인 듯합니다. 열심을 비우라는 말이 아닌 게지요. 손 비움이 부지런한 손짓을 위함이라면 손을 채우라는 말에 다를 바 없군요.

아이쿠야, 채움이 곧 비움이라니!

이때의 채움은 건전한 소유를 채움이겠지요. 건전한 소유란 개인적 혹은 사회적 책임을 성실히 수행함으로써 얻는 소유를 말합니다. 이를테면 학생은 열심히 배우고 익히며, 가장(家長)은 열심히 소득 활동을 하는 것이지요. 이렇게 보면 비움이란 건전한 소유와 같은 말이군요.

소유가 꼭 물질만을 뜻하지 않음이 당연하지요. 가난하여 가진 것이 꿈뿐인 시인 '예이츠'에게는 꿈이 소유물이요, 오막살이를 살아도 멸종위기에 빠진 새를 지켜주려는 '도연스님'의 꿈 역시 건전한 소유입니다.

『소유냐 존재냐』에서 '에리히 프롬'이 '소유'라는 언어를 탐심의 뜻으로 구사하는 바람에 소유가 마치 탐심의 대명사인 듯 일부에 회자되어왔지만, 지금 말하는 건전한 소유는 탐심이 없는 열심 곧 '비움'에 근거한 언어입니다. 다만 나 같은 생활인은 온전히 탐심을 버리지는 못하는 존재이므로, 현실적으로 무소유 혹은 비움이란 게으름이나 탐욕에 자신을 방임하지 않도록 노력하는 것이요, 건전한 소유를 위해 노력하는 것이겠지요.

이것 좀 보십시오. 건전한 소유를 위한 노동은 오히려 마음을 비우게 해 줍니다. 노동이 탐심을 줄여주고 쓸데없는 생각에 젖지 않게 해 줍니다. 너무 한가해도 우린 헛생각, 혹은 탐심에 빠지기 쉽잖아요. 소유가 비움을 가져다준다는 역설이라니까요. 비움이니 무소유를 빙자하여 노동의 책무를 저버린 조선(朝鮮)의 사대부들은 길을 잘못 들었습니다. 우리 주변에는 삶이 너무 바빠 비움이란 걸 의식할 시간도 없는 사람들이 있습니다. 이런 사람들은 열심히 사는 자체가 비움일 것입니다.

2000년 전 '예수'는 참된 삶의 길이란 자신을 버리고 자기 십자가를 지는 것이라 했습니다. 자신을 버림은 제 안의 소욕을 버리는 것이요 자기 십자가를 진다 함은 제 맡은 일을 성실히 하는 것으로 받아들여집니다.

비운다는 것, 자유라는 것.

탐심을 버리고 열심히 살아가라는 말로 알고 다만 애쓸까 합니다.

시간 이야기 1
- 사람이 시간보다 낫다

　창밖 오솔길 앞으로 낙엽들이 곧 다가올 봄을 찾아 휘리릭 굴러 갑니다. 그 위로 파란 1톤 트럭 한 대가 2~3초의 시간을 싣고 지나갔습니다. 단풍나무가 트럭이 지나간 자리를 가만히 바라보는군요. 몇 초 사이에 눈앞에 나타났다가 사라진 세상을요. 공간은 여전히 그대로지만 아까 그 시간은 트럭에 태워져 가버렸습니다.

　시간이라, 정말이지 미운 오리 새끼 같습니다. 학력고사에 늦어서 허겁지겁 시험장 문을 열었던 시간, 약속에 늦어 애를 태우며 달렸던 시간 같은 것들이 그렇습니다. 분초에 쫓겨 사는 인생입니다. 시간은 어쩌다 이렇게 저를 지배하게 되었을까요?

　14세기에 유럽에 나타난 시계가 발전을 거듭해 초 단위로 정확성을 지니게 되면서, 16세기 말 갈릴레오는 '거리=속도×시간'이라는 공식을 인류에게 선사합니다. 이때부
터 시간은 물리법칙의 절대 단위가 되었
습니다. 지금은 거리마저 시간을 기준으
로 정합니다. 1983년 국제도량형 총회
에서 정의 내리기를 '1m는 빛이
299,792,458분의 1초간 가는 거리다'라
고 선언한 것입니다. 오늘날 시간은 세슘원자의 진동에 맞추어 백
억 년에 1초의 오차로까지 정밀하게 측정되면서, 벽에서 우리를 내
려 보거나 핸드폰의 맨 윗자리에 앉아서 우리를 통제하고 있습니
다.

시간의 인류 지배라니, 화가 납니다. 인간이 시간에 지배를 당하
다니! 인정하고 싶지 않은 일이 벌어지고 있단 말이죠. 물론 하이데
거의 말처럼 우리의 자아가 과거 현재 미래라는 시간 속에서 구성
된다는 걸 인정합니다. 하지만 거기까지, 시간이 아무리 자연의 법
칙을 저울질하더라도 인간마저 잣대 지을 순 없습니다. 인간만큼은
인간이 척도이고 싶습니다.

더구나 시간은 휘파람처럼 가버립니다. 좀 더 있어 달라 해도 절
대 봐주지 않습니다. 우리를 사랑하지 않는 거죠. 게다가 나이들수
록 더 빨리 흘러가지 않습니까?

반면에 사람은 사람을 기다려줄 수 있어요! 서로의 형편을 살피
고 좀 더 함께 있어 줄 수 있어요. 사람을 사랑할 수 있다는 거죠.
그래서 사람은 시간보다 낫습니다. 억지스럽다고요? 그래도 좋습니

다. 시간에 지배당하고 싶지는 않거든요. 시간에 태워져 끌려 다니기보다 이제부터라도 트럭처럼 시간을 태우고 다녀야겠습니다,

그러려면 방도를 찾아야 하겠는데 제가 트럭도 아니고, 이게 쉽지가 않단 말입니다. 어떻게 해야 할까요, 어떻게?

시간 이야기 2
- 시간의 정체

서해의 섬 홍도에 가면 바다 너머로 시나브로 작별을 고하는 태양을 만나게 됩니다. 아득한 바다 한가운데서 붉게 물든 태양을 바라보는 자연인이라면 누군들 경외심을 품지 않을까요?

그리고 그 뒤에 이어지는 궁극의 의문 -

시간이란 무엇일까?

장엄한 우주일까? 아니면 내 손 안의 시계 같은 것일까?

아니, 시간이란 게 있기나 할까?

도대체 알 수가 없단 말입니다. 아무래도 시간이 수상합니다.

우선 물리학계에서 시간이 정말 있다고 여기는지부터 알아봤습니다. '뉴턴'은 시간이란 우주가 없어져도 영원히 흐르는 절대적 존재라고 하였습니다. '아인슈타인' 박사는 시간은 시공이라는 차원으로 존재한다고 했지요. 이분들은 시간이라는 실체가 있다고 주장하는 겁니다. 하지만 현대로 올수록 이 주장은 점점 퇴색됩니다. 현대 물리학자 중 많은 사람들이 시간이란 건 아예 존재하지 않는다고 말하는군요. 자연의 변화를 재는 단위에 불과하다는 것입니다.

이번에는 역사적으로 시간을 어떤 의미로 사용해 왔는지 살펴보았습니다.

먼 옛날 시간은 해가 지고 달이 뜨는, 즉 반복되는 우주의 변화였습니다. 인류는 이 변화를 수량화하기 위해 많은 노력을 했고 그 결과는 달력과 시계였습니다. 달력으로 연도를 정하면서 시간은 자연계의 순환을 따라 반복되는 것이 아니라 직선적이며 돌이킬 수 없는 것이 되었고, 14세기에 진자(振子)시계(추시계)가 발명되면서 1~12의 숫자로 나타나 마침내 눈에 보이는 실체가 되었습니다.

19세기 들어와서 지질학 및 우주물리학의 발견으로 인하여 지구의 역사가 45억 년이요 우주의 역사가 138억 년이라고 알려지면서 시간은 영원한 존재가 되어갔습니다. 그리하여 우리는 무의식적으로 시간을 분명히 존재하는 실체라고 생각하게 되었습니다.

철학자 '칸트'는 시간이란 변화와 독립되어서는 존재하지 않는 일종의 관념이라고 주장했습니다. 여러분은 어떻게 생각하시나요? 우리 모두는 시간의 실체에 대해 의견을 펼칠 수 있을 겁니다. 과거와 현재를 거치는 사람이라면 누구나 시간 전문가니까요.

아득한 바다 한가운데서 붉게 물든 대양을 바라보는 자연인이라면
누군들 경외심을 품지 않으리오?
그리고 그 뒤에 이어지는 궁극의 의문 -
시간이란 무엇일까?
장엄한 우주일까? 아니면 내 손 안의 시계 같은 것일까?
아니, 시간이란 게 있기나 할까?

종합해 보건데 저의 짧은 생각으로는 시간이란 우주의 변화를 수량화하여 변화의 속도를 재는 인위적인 용어로서, 시간이 존재하는 것이 아니라 변화가 존재한다고 보는 게 더 타당해 보입니다. 변화가 없으면 시간도 없는 거죠. 그렇다면 어차피 변하는 세상에 살고 있으니 시간의 실체를 따지는 건 공염불이로군요.

그래서인지 시간 심리학자들은 시간의 물리적 가치보다 심리적 가치에 더 집중하더군요. 시간에 대한 마음자세와 활용성을 더 중요시하는 것이죠. 동의합니다. 그래서 이쯤에서 시간의 존재에 대한 지난 수년간의 질문을 그만하렵니다.

시간 공부를 해보니 엄청난 소득이 생겼어요. 시간을 절대적 존재라고 생각하면 제가 시간을 주도할 수 없지만 시간을 변화라고 생각하니 제가 시간 즉 변화를 주도적으로 끌고 갈 수 있다는 착상을 한 것입니다. 시간에 지배당하지 않고 시간을 능동적으로 이끈다는 건 생각만 해도 기분이 좋네요. 그렇게만 산다면 나이 한 살더 먹어도 아깝지 않을 것 같아요.

열심히 살아가는 모습, 새로운 도전을 하는 모습 - 그것이 취미든 학업이든 사랑이든 일이든 간에 그런 모습이라면 능히 시간 지배 사건이라고 부를 수 있겠습니다. 풍랑 같은 세상에서 고난과 역경을 극복하는 분들도 틀림없이 시간을 이기는 사람들일 겁니다.

결국 시간의 가치는 변화의 가치입니다. 시간, 곧 변화에 지배당하지 않고 변화를 지배하는 마음가짐을 지녀야겠습니다. 흘러간 시간이 아깝다면 시간이 가서 아까운 게 아니라 그 시간 동안 올바른 변화를 주지 않아서 아까운 것일 테죠.

다만, 시간이 아무리 변화의 단위에 불과하더라도 시간이라는 단어 앞에 겸손하고 싶네요. 우리는 우주 백 수십억 년 역사의 가장 마지막에 태어난 존재니까요. 시간(변화)을 지배하겠다는 관점보다는 시간(변화)에 충실하겠다는 관점을 지니렵니다.

시간 이야기 3
- 자기(自己) 달력 시간

저의 시간 이야기는 이제 종착역으로 향합니다.

오늘 마지막으로 낙엽을 태웠습니다. 겨우내 쌓고 태우고 하였는데 오늘로 그만하려고요. 밤나무, 단풍나무, 소나무, 떡갈나무, 이름모를 나무의 잎을 불사르며 생의 마지막 냄새를 맡습니다. 훈훈한 냄새들 사이로 솔잎이 타는 냄새는 조금 더 맛스럽습니다. 밤나무 낙엽은 지지지 타들어가고 넓적한 떡갈나무 낙엽은 활활 불을 날리며 뽐을 내지만 금방 다 타버립니다. 사이로 빨간 단풍잎이 한 둘보여 왠지 애처롭습니다. 우리의 시간은 이렇게 마지막 냄새를 피우겠지요. 그 냄새가 자연의 냄새라면 제일 좋겠습니다.

아마도 그래서 사람들은 자연으로 떠나는지도 모르겠습니다. 제주로 떠난 시인이 생각납니다. 자기 세상을 찾고 싶어 훌쩍 떠나더니 열심히 자기 시간을 만들고 있습니다. 이렇게 어떤 사람들은 자기만의 달력을 만듭니다.

인류가 통용하는 시간은 하나의 시계가 지배하는 하나의 달력 세
상에서 살아갑니다. 지구인은 월급을 받으려면 삶을 이 달력에 맞
춰야만 합니다. 이 획일적인 세상을 '**시계 달력 세상**'이라고 불러보
겠습니다. 이로 인하여 지구인은 매우 효율적으로 세상을 살아갈
수 있게 되었습니다. 단점이라면 단 하나의 통일된 세상만이 있는
줄 알게 만듭니다. 일종의 세뇌현상인데 자칫 우리가 획일화된 세
계의 부속품으로 전락되기 쉽상이죠.

그런데 또 다른 세상이 있습니다.

저의 느낌으로는 자연의 모든 존재는 저마다 제 중심을 가집니
다. 하늘의 태양이나 온갖 생물, 심지어는 미미한 빗방울조차 자기
만의 중심을 가집니다. 자기를 중심으로 동심원을 그리면서 자기가
중심인 세상을 하나씩 가지고 있는 셈이죠.

시 쓰냐고요? 하하, 이제부터는 느낌이 아니라 과학으로 말하렵
니다.

상대성이론은 사람들 각자의 시간은 다르게 흘러간다고 말합니
다. 속도나 중력의 크기에 따라 시간이 빨라지거나 느려진다는 건
데요 인공위성은 이런 이유로 지상보다 시간이 느리게 흘러 인위적
으로 차이를 조절해 준다죠. 그렇게 하지 않으면 GPS 오차로 지상
에서는 대란이 벌어진다고 해요. 지구 안에서도 중력이 달라서 1층
보다 10층에 사는 사람의 시간이 더 빠르게 갑니다. 다시 말해 더

빨리 늙는 거죠. 다만 차이가 극미해서 우리가 못 느낄 뿐이죠.

지구의 모든 사람은 저마다 다른 시간을 살아가고 있습니다. 이미 과학적으로 입증이 된 사실입니다. 다른 시간을 산다면 다른 세상을 산다고 할 수 있습니다. 저는 시간을 연구하기 전에는 이 사실을 몰랐습니다. '시계 달력 세상' 오직 그뿐인 줄 알았습니다.

그런데 이처럼 다른 세상이 있다는 겁니다. 이 세상을 편의상 '**자기(自己) 달력 세상**'이라고 불러보겠습니다. 이런 세상이 인구 수만큼 있는 겁니다. 이 '자기 달력 세상'들은 서로 교집합, 합집합, 차집합을 엮어가면서 아옹다옹 굴러갑니다.

중요한 것은 나는 '자기 달력 세상'의 단 한 명의 왕이자 백성이라는 점입니다. 인생을 왕처럼 살고 백성처럼 살아야 할 이유입니다. 왕처럼 산다 함은 자긍심을 가지고 자기 삶의 주인이 되어 살아가라는 것이요, 백성처럼 산다 함은 타인의 세상에게 겸손한 자세로 살아가라는 것이겠습니다.

이제 다시 시인 이야기로 돌아옵니다. 과학에서 느낌으로 돌아와보죠. 시인은 자기만의 달력을 만드는 사람입니다. 어떤 이들은 제주도나 네팔 같은 곳으로 떠나더군요. 치열합니다. 그래서 가난해졌고요. 하지만 과연 가난할까요? 떨어지는 빗방울은 결코 가난하지 않습니다. 사방으로 동심원을 그리는 자기만의 중심, 즉 자기만의 세상을 가졌기 때문입니다. 바로 '자기 달력 세상'입니다. 이 때문에 부자입니다. 가난과 부자는 중심 차이입니다.

중요한 것은
나는 '자기 달력 세상'의 단 한 명의 왕이자 백성이라는 점입니다.
인생을 왕처럼 살고 백성처럼 살아야 할 이유입니다.
왕처럼 산다 함은
자긍심을 가지고 자기 삶의 주인이 되어 살아가라는 것이요,
백성처럼 산다 함은
타인의 세상에 겸손한 자세로 살아가라는 것이겠습니다.

4부

노래와 그리움

시절 노래 이야기

노 래 만 남 아 ♬

　마을의 어느 집에도 TV가 없었으니까 아마도 내가 들은 노래는 라디오 방송이었을 것이다. 4명의 남성가수 그룹인 '봉봉 사중창단'의 노래 〈꽃집의 아가씨〉였다. 겨우 예닐곱 살 꼬맹이에게도 재미있었다. 이뿐 아니다. 봉봉 사중창단 아저씨들은 〈사랑을 하면은 예뻐져요〉라는 노래도 불렀는데 통통 튀는 가락이 어린 귀에 쏙쏙 들어왔다. 시작 부분을 계이름으로 표현하면 이렇게 된다.

　♬ 도시라~ 도시라~ 도시라라~
　♬ 도시라~ 도시라~ 도시라라~

　이 노래는 시작부터 고음에서 저음으로 여섯 번이나 통통 튄다. 반복되는 음과 리듬이라 6살 꼬맹이도 좋아할 만했다. 지금도 이 노래들을 부르면 영락없이 그 시절 신림동에서의 향수가 올라온다.

동요 한 곡 배운 적 없던 당시(1960년대 후반)의 취학 전 꼬맹이들에겐 라디오 가요들이 동요를 대신했다. 당시엔 태교는커녕 유아교육도 선사하지 못했다. 심지어 놀이동요조차 취학 전에는 몰랐던 것 같다. '여우야 여우야 뭐하니' 하는 놀이노래를 초등 2학년에서야 알았던 것 같다. 시절은 어린이에게 동요보다 가요를 먼저 선사했다.

우리 마을은 관악산 기슭에 있는 산동네로 지금의 서울대학교 옆이었다. 우리집 앞의 길은 차가 두 대 다닐 수 있는 넓이였는데 마을로 오르는 대로였다. 죽 올라가면 길은 두 갈래로 갈라져 점점 좁아지다가 좌우로 논밭이 나타나며 끝이 났고 더는 산이었다.

대로라 해도 흙길이었고 차가 거의 다니지 않았기에 아이들의 놀이터였고 내게는 우리집 마당이나 다름없었다. 나는 주로 이 길에서 놀았다. 앞서 언급한 봉봉 사중창단의 노래가 건조하고 누런 황토색으로 느껴지는 이유가 아마도 이 흙길 때문인 것 같다. 실은 포근한 노래들인데.

이 흙길로 둥그런 물차가 먼지를 일으키며 올라가곤 했다. 물차가 신기해서 뒤따라가면 이미 많은 사람들이 양동이를 들고 줄을 서있었다. 물차 뒤에 달린 대여섯 개의 수도꼭지에서 콸콸 물이 쏟아지는 모습을 어린 나는 물끄러미 바라보곤 했다. 그 후로 긴 세월 동안 이제는 사라졌나 싶을 때마다 나타나는 둥그런 물차가 참 반가웠다.

얼음과자 장사도 이 길을 따라 지나갔다. 어깨에 얼음통 끈을 걸친 형아가 '아이스케~키' 하고 우리집 앞을 지나 마을로 들어서면 길에서 놀던 우리는 우르르 달려갔다. 얼음통 뚜껑을 열면 하얀 드라이아이스 김이 솟아올랐고 그때마다 화~ 하는 쾌감이 일었다. 누가 하나 사면 우리는 그 옆에 빙 둘러섰다. 어쩌다 인심 좋은 형아가 한 입 주면서 꼭 하는 소리가, 깨물어 먹으면 죽어, 하는 으름장이었다. 옆 아이가 한입 빨고 내가 한입 빨면 끝인데도 천국에 간 기분이었다.

우리끼리 하는 말로 '케키통 형아'가 멀리 마을로 올라 사라지면 관악산이 우리를 내려다보았다. 산 너머에는 뭐가 있을까 하는 상상을 절로 했다. 특히 '♬ 산 너머 남촌에는 누가 살길래' 하는 노래가 자주 들려와서 더 궁금했다. 이 노래 가사에 의하면 산 너머에서 해마다 봄바람이 불어온다고 하니 나는 저 산이 그런 가 보다 했다.

가수 '최희준' 아저씨의 노래가 수시로 들린 것도 이 시절이었다.
'♬ 인생은 나그네 길'
이라던가,
'♬ 팔도강산 좋을씨구'
라는 노래도 영락없이 신림동에서의 추억에 있다. 산동네에서 내려가면 25번 버스의 신림동 종점이 있었고, 버스를 타고 개천을 따라 둥그렇게 굽은 찻길로 10분 정도 나가면 신림극장이 있었다. 영화배우 '심희섭' 할아버지의 쌀노상산 영화, '박노식' 아저씨의 수벽

싸움 영화의 대형 포스터를 자주 봤다.

가끔 어떤 형아들이 운전사 아저씨 몰래 버스 뒤에 올라타 매달려 가는 걸 봤다. 재밌겠다는 생각을 했지만 나는 어려서 불가능했다. 한번은 신림극장에서 어떤 형아가 그렇게 무임승차를 하고 가다가 떨어져 피투성이가 된 걸 본 적이 있다. 나는 그때 생천 처음 다짐이란 걸 한 것 같다.

'나는 저런 건 하지 말아야지!'

일찍 깨달아 다행이지 장난이 심했던 내가 좀 더 컸었으면 그 꼴 났을지도 모른다.

몇 년 뒤 우리도 TV를 사서 가수들을 볼 수 있었다. 봉봉 사중창단 아저씨나 최희준 아저씨는 언제나 웃으며 노래를 불렀다. 봉봉 사중창단 아저씨들은 장난치듯 노래를 불러 재미있었다. 목 칼라가 시원한 옷을 입고 노래하면서 두 볼이 봉긋 솟아오르게 웃던 최희준 아저씨를 기억한다. 모두 내게는 신림동의 애상을 떠올리게 하는 분들이다.

훗날 신림동이 그리워 찾아갔다. 벼르고 벼른 일을 20년 만에야 했다. 버스 종점은 여전히 그 자리에 있었다. 종점에서 개천을 건너 신림시장을 지나 산으로 곧장 올라가면 계곡 옆이 우리 마을이었으니 이제 찾는 건 쉬운 죽 먹기다 생각했는데 웬걸, 시장도 사라지고 길도 계곡도 사라지고 온통 빌라였다. 산은 한동안 보이지도 않았고 기슭까지 파헤쳐져 저 멀리 밀려나 있었다.

찾다 찾다 포기할 즈음 내 선 도로가 어릴 때 놀던 작은 계곡 위치임을 눈치챘다. 찻길은 절묘하게 계곡을 숨기고 있었다. 계곡마저 아스팔트로 덮어버렸음을 알고서 나는 허탈한 표정으로 인간세상을 바라볼 수밖에 없었다. 어이가 없었다. 마치 고향을 잃은 수몰민이 된 심정이었다. 그 슬픔과 애탐이란 이루 말할 수가 없다. 나는 일종의 문화충격 같은 일을 겪었다. 인간의 욕망이 밉고 세월이 아쉬웠다. 하지만 어쩌겠는가?

그래도 노래만은 그 터에 남아있었다. 몇 안 되는 그날의 노래들을 읊조리며 애써 시공을 되돌렸다. 미소를 함박 머금던 가수들의 노래가 내 입가를 스쳐갔다. 그날 내게 노래는 추억 그 자체요 동요 아닌 동요가 되어 있었다. 공간도 시간도 맥없이 사라지고 노래만이 과거로 가는 유일한 매개체였으니.

동요 빈곤 시대 ♬

1970년, 우리 초등 신입생들은 왼쪽 가슴에 손수건을 부착한 채 학교에 가야 했다. 보건 환경이 지금보다 열악했던 당시엔 아이들이 늘 감기를 달고 살아서 누런 콧물을 흘리는 아이들이 많았다. 그런데 학교에는 화장지가 없어서 가슴에 달린 자기 손수건으로 코를 닦아야 했다. 또, 교실에서 대변을 지리는 아이들이 있어 수업 중에 온 교실에 대변 냄새가 퍼지곤 했다.

내가 입학한 학교는 서울 종암동에 있는 '숭례 초등학교'였다. 고려대학교가 골목 하나를 사이에 두고 있었고 정문에서 조금만 걸어 나가면 종암대로가 있었다. 도회지에 있는 학교인데도 학교 환경은 이처럼 열악했다. 심지어는 교실이 모자라서 오전반과 오후반으로 나누어 학교에 갔다.

학교에서는 많은 동요를 가르쳤다. 학교종이 땡땡땡, 떴다 떴다 비행기 등등. 이중에 유독 기억나는 동요는 〈주먹 쥐고 손을 펴서〉라는 곡(장자크 루소 작곡-1752년, 윤석중 작사)이다.

학교에서는 이 곡을 틀어주고 가사에 맞춰 체조를 시켰다. 코흘리개 신입생들은 아침마다 운동장에 모여 이 노래 가사를 따라 체조를 했다. 학교에서는 가사를 계속 바꿔, 두 손을 옆으로 나비가 훨훨, 두 손을 앞으로 자동차가 붕붕 하는 식으로 체조를 유도했다. 노랫말을 따라 동작이 나온다는 사실이 신기하고 재미있었다.

특이한 것은 학교 정문을 나서면 동요를 거의 부를 수 없었다는 사실이다. 그 시절엔 학교 밖에서는 동요를 들을 기회가 없었다. TV는 아직 대중화 되지 않고 라디오가 많이 보급되었던 시대였는데 라디오는 가요 일색이라, 그러면 동요는 잊혔다.

요즘 시대에는 태아 교육, 유아교육이라 해서 동요를 아주 어릴 때부터 접한다. 이제 겨우 두 살인 우리 손녀는 버튼만 누르면 동요가 나오는 책을 가지고 논다. 하지만 그 시절은 동요 교육을 상상도 할 수 없는 생존투쟁의 시절이었다. 그야말로 '동요 빈곤 시대'였다.

당시 가정의 유아교육이 있었다면 아마도 부모님이 들려주시는 옛날이야기 정도였을 것이다. 신림동에서 이사 와 종암대로에서 10평 내외의 자그마한 짜장면 가게를 하던 아빠는 어린 우리들에게 옛날이야기를 자주 들려주셨다. 나는 8살, 동생들은 각각 5살 2살이었다. 사냥꾼이 토끼를 잡는 이야기였는데 아빠가 엄지와 중지로 빵 하고 총 쏘는 흉내를 내면 우리는 까르르 웃음보를 터뜨렸나.

늘 같은 이야기인데도 매번 그 순간이 기다려졌다. 그러다가 졸리면 동생들 뺨을 쓰다듬다가 스르르 잠이 들었다

당시 라디오는 아이들을 배려하지 않았다. 동요는 없고 전부 가요였다. 학교에서 집까지 약 1km 되었는데 대로변이라서 가게들이 많아 라디오 노래가 계속 들렸다. 특히 집 가까이에 있는 종암시장은 언제나 가요 소리에 파묻혀있었다. 그곳을 지나다가 '펄시스터즈'의 〈커피 한잔〉을 들은 기억이 난다.

우리집 또한 식당이었기에 라디오 노래를 피할 수 없었다. '김추자'의 〈월남에서 돌아온 김상사〉나 〈임은 못 잊어〉 같은 노래도 퍽이나 많이 들려왔다. 선입관이 없는 아이들의 세계에선 무엇이든 흡수된다. 어린 나는 학교에서 배운 동요일랑 까맣게 잊고 이 노래들을 재미있게 들었다.

〈마린보이〉나 〈황금박쥐〉 같이 듣고 싶은 만화 영화 노래도 라디오 가요가 들리면 이내 잊혔다. 반 강제적으로 동요보다 가요에 먼저 귀가 열렸다. 요즘도 당시의 가요를 부르면 정확히 종암동 그 시절이 느껴져서 추억의 향수에 젖는다. 그리하여 내게 가요는 동요 아닌 동요가 되고 말았다. 아마 70년대에 어린 시절을 보낸 사람이라면 대부분 동요보다 더 동요 같은 가요, 어린 시절을 추억하게 하는 가요들이 많을 것이다.

세월이 흘러 아동교육에 대한 인식의 증가와 함께 이제는 '동요 풍족 시대'가 되었다. 아이들에게 동요나 클래식을 들려주지 않는

부모는 이제는 없을 것이다. 나라에 쌀이 부족해 보리밥이나 밀가루 음식을 장려하고, 짜장면 한 그릇에 10원 하던 시대의 소산인 동요 빈곤 사태는 사라졌다. 가요를 두고 동요라고 생각하는 나의 우스운 착각도 영영 다시 나오지 않기를 기대해 본다.

노래의 우체통 ♫

노래의 우체통엔 추억이 산다. 노래를 부르면 하얗게 희미해진 기억 뒤로 그 옛날 보랏구름 같은 추억의 꽃이 핀다. 때론 그립고 때론 서러운.

나는 노래를 먹으며 자랐다. 아빠의 기타 반주에 맞춰 엄마가 〈목포의 눈물〉 같은 노래를 불러 녹음한 카세트테이프는 동네의 명물이었다. 부모님은 노래를 좋아하셨다. 1970년대 부모님이 운영하시던 자그마한 식당에서는 종일 음악이 흘러나왔고 나는 시절 가요에 파묻혀 살았다. 내 어린 일기장에는 학년마다 좋아했던 노래들이 수두룩 적혔는데 가요만 100곡은 된다.

구멍가게 사정이 다 그러하듯 우리 가게도 많이 옮겨 다녔다. 장사가 안 되면 잘 되는 곳을 찾아 옮겨야 했고, 장사가 잘 되면 집주인이 가게를 빼라 했다. 이사를 하도 많이 다녀 언젠가 하나하나 세 보니 스물한 번이었다. 해서 자연히 내 추억의 노래 우체통에는 스물한 동네의 이야기가 담겨 있다.

우선 그 우체통에서 가곡 〈보리밭〉을 꺼내본다.

어렸을 때 엄마가 끓여준 보릿잎 된장국을 자주 먹었다. 억센 잎에서 어찌 이리 부드러운 맛이 나올까 하여 잎을 씹어보면 여전히 억셌다. 하지만 이제는 좀처럼 먹을 기회가 없다. 어쩌면 이 국은 앞으로 국민의 기억에서 영영 잊힐지도 모르겠다. 마찬가지로 한때 보리밭은 이 땅의 사방 동토를 파랗게 덮었지만 지금은 거의 사라져 국민의 기억에서 외면당할 처지다.

그런데 노래 한 곡으로 인해 영원히 잊히지 않을 국민의 밭이 되었다. 그러니 가곡 〈보리밭〉은 노래가 얼마나 큰 힘을 가지고 있는가를 여실히 보여주는 사례다. 작곡가 '윤용하' 씨가 이 곡을 작곡할 때 시인 '박화목' 씨에게 시의 원제목인 '옛 생각'을 '보리밭'으로 바꾸자고 제안한 것은 탁월한 선택이었다.

누구든 이 노래를 부르면 아마도 시절의 몽환에 젖어들 것이다. 그래서인지 이 노래가 한국인이 가장 좋아하는 가곡 3위에 올랐다는 글을 본 적이 있다.

이 노래에는 테너 소리가 아주 잘 어울린다는 느낌이다. 클라리넷으로 시작되는 전주에 이어 남성 테너의 정제된 소리는 청보리밭의 청아한 풍경을 닮았다. 이윽고 콘트라베이스의 소여물 푸욱 찌는 소리가 낮게 깔리면 노래의 밭이 풍성해진다.

♫ 보리밭 사잇길로~

노래의 우체통엔 추억이 산다.

노래를 부르면 하얗게 희미해진 기억 뒤로 그 옛날 보릿구름 같은 추억의 꽃이 핀다. 때론 그립고 때론 서러운.

가곡이란 장르는 수도원처럼 은거해 대중이 접근하기 힘든 측면이 있다. 그런데 한 가수가 이 노래를 수도원에서 빼냈다. 내가 초등학교 저학년이던 70년대 초반, 가수 '문정선' 씨가 이 노래를 발표하여 큰 인기를 얻었는데 그 때문에 나는 이 노래를 가곡이 아닌 가요로 먼저 알게 되었다.

어느 하루 집으로 가는 청량리 골목에서 이 노래를 들으며 걷던 나의 모습이 떠오른다. 지금도 이 노래를 생각하면 가수의 온화한 목소리가 떠오르고 딱히 무어라 설명할 길 없는 감성이 가슴을 채운다. 굳이 표현하자면 어린아이의 막연한 듯 가난한 상상이라고나 할까?

내게 가요로 먼저 다가온 노래, 그래서 가요와 가곡의 맛을 다 가진 노래 〈보리밭〉. 뉘 부르는 소리가 들릴 듯한 보리밭. 제주 돌담 너머 청보리밭에 가서 이 노래를 불러볼까나. 보릿구름 성성한 오월의 밭이라면 더 좋겠다.

위 세 어구를 부르는 동안 동일한 리듬이 반복된다. 이후로도 리듬에 큰 변화가 없는 편이다. 그래서 누구나 부르기 쉽다. 가사 역시 우리 국민이 좋아하는 7·5조의 정형률을 온몸으로 추구하기 때문에 누구나 따라 부르기 쉽다.

이런 점에서 이 곡은 국민의 정서에 가까이 다가가려는 예술가들의 혼이 느껴진다. 너무 좋다. 글은 이해하기 쉬운 게 좋고 노래는 부르기 쉬운 게 장땡이다.

다만 말썽인 것은 네 박이 자주 나와, 긴 박을 이어가려면 호흡이 길어야 할 텐데 어휴, 나는 호흡이 짧다. 이건 꼬마 때나 지금이나 매 한 가지라. 대신 상상이 구름 따라 길어져 저녁놀 빈 하늘이 반평생 눈에 차곤 했다.

뉘 부르는 소리가 들릴 듯한 보리밭.
제주 돌담 너머 청보리밭에 가서 이 노래를 불러볼까나.
보릿구름 성성한 오월의 밭이라면 더 좋겠다.

계이름 '미'의 맛 ♬

♬ 당신은 무슨 일로 그리합니까?
홀로이 개여울에 주저앉아서
파릇한 풀포기가 돋아나오고
잔물은 봄바람에 헤적일 때에
가도 아주 가지는 않노라 시던
그러한 약속이 있었겠지요
날마다 개여울에 나와 앉아서
하염없이 무엇을 생각합니다
가도 아주 가지는 않노라 심은
굳이 잊지 말라는 부탁인지요

김소월 시 1922, 정미조 노래 1972, 〈개여울〉

소월의 시 〈개여울〉을 읽으면 사랑에 홀대받아도 참고 살아야 했던 당시 여성에 대한 그의 안타까움이 느껴진다. 님이 자신을 버리고 떠나서 '가도 아주 가지는 않'겠다 던 약속이 물거품이 되었어도 조선의 여인은 어떤 대항도 할 수 없었다. 그저 풀썩 주저앉아 '당신은 무슨 일로 그리' 하느냐고 울 뿐이었다.

이 시가 가슴 아리는 이유는 그 원망을 '부탁'으로 '굳이' 승화시키기 때문이다. 미움과 원망으로 끝났다면 이 시가 어떻게 읽혔을까? 이토록 긴 여운을 주지는 못하리라.

안타깝게도 소월은 너무 젊은 나이에 생을 하직했다. 그는 아내를 무척 사랑했다고 한다. 아마도 그의 아내는 이 시를 읽을 때마다 '잊지 말라는' 소월의 부탁이 들렸을 것이다. 나아가 이 시를 읽는 모든 사람에게도 들릴 것이다. 우리 역사상 가장 많은 사람에게 하는 부탁인 셈이다.

그리고 그 부탁은 반백 년 뒤 어느 노래에 담겨 청량리에 사는 꼬마의 귀에도 들려왔다.

꼬마의 동네는 집창촌으로 유명한 청량리 588번지였다.

70년대 초반, 역전에는 대왕코너라는 대형 쇼핑센터가 있었고 그 바로 옆이 꼬마의 골목이었다. 아직 1호선 전철이 착공되기 전으로 5원인가 10원 하는 삼립호빵이 혜성같이 나타나서 구멍가게 찜통마다 몽실몽실 꼬셨다. 다방구, 술래잡기, 여우야 놀자 등등 골목놀이는 나 같은 초등 저학년 꼬마들에게는 하루의 뿌듯함이요 보람 그 자체였다.

우리들은 골목을 너무나 자주 어른들에게 뺏겼다. 골목은 늘 사람들로 붐볐는데 기차 행객이 주를 이뤘지만 거지, 싸움꾼, 청량리 징신병원 탈출자들도 흔히 출몰했다. 밤이면 골목 끝까지 니던 꼬마로서는 뜻 모를 빨갛고 노란빛이 환했다. 거기엔 많은 여자들이 서있었고 가끔 여자들이 손에 칼을 들고 남자를 쫓아 달릴 때는 무서웠다. 이런 일은 낮에도 흔했는데 욕지거리와 함께 앙칼진 목소리가 들리면 우리들은 술래잡기를 하다가도 얼른 집으로 숨어들어 고개만 빼꼼 내밀었다.

우리집은 골목 초입 식당이었는데 살림방이 딸린 자그마한 가게였다. 식당에선 종일 라디오 노래가 흘러나왔다. 동냥꾼들이 매일, 어쩌면 하루 몇 번씩 다녀갔는데 그들은 깡통에 밥과 노래를 담아 가곤 했다. 그들을 외면하지 않는 천사 엄마를 보면서 나도 천사가 되고 싶었다.

가수 '정미조' 씨의 〈개여울〉도 자주 들렸다. 가수가 물 맑은 냇가에 앉아 생긋하게 노래하던 아침 방송 장면이 떠오른다. 가수의 목소리는 쪼로롱 개울가의 새소리 같았다.

이 노래의 첫 소절은 첫 음을 길게 뽑다가 갑자기 빠르게 부르면 맛이 산다. 이를 띄어쓰기로 표시해 본다면 이렇게 되겠다.

'♬ 당~~~ 신은무슨일로'

표시한 대로 첫 음을 길게 부르다가 갑자기 빠르게 불러보자. 이어서 끝 가사 '로'를 가볍게 놓아보자. 소리의 크기를 확 줄이는 것이다. 순간 살며시 여운이 찾아오면서 노래의 맛이 더해진다.

여기서 잠시 계이름에 주목해보자. 노래의 분위기를 만드는 데에는 가수의 음색과 창법이 큰 역할을 하지만 계이름의 맛도 이 못지 않다. 이 구절을 아래처럼 계명창으로 바꾸어 부르면 '미라도미레파미'라고 부르게 된다.

'♬ 당~~~ 신은무슨일로'

(미~~~ 라도미레파미)

이 소절에만 '미'가 세 번이나 나오는데, 곡 전체에서는 '라'가 21번, '미'가 29번, 그 외 계이름들이 15번 내외로 짜여 '미'가 가장 많이 나옴을 알 수 있다. 그것은 '미'가 가진 음의 맛 때문인데 그 맛을 살펴보면 노래가 더 알차게 들린다.

'미'는 미묘한 감성을 가만히 드러내는 음으로 부드러우면서도 아련한 감성에 잘 어울린다. 이 곡은 단조라서 슬픔으로 흐르기 쉬운데 '미'를 많이 넣어 단조의 아련함이 슬픔보다는 부드러움으로 향하게 만들었다.

'미' 음은 중세라는 척박한 시대에 핀 한 송이 꽃이다. 14~15세기 백년전쟁 중 영국에서 프랑스로 '미'가 노래를 타고 건너와 그 감미로운 인간성으로 사람들 마음을 사로잡았다. '미'를 사용한 음악이 유럽에 급속히 퍼지자 중세 음악을 지배하던 로마 카톨릭 교단은 '도미솔' 화음을 금지시키고 '도솔' 화음만 허락했다. '도'와 '솔'은 완성의 의미를 가진 신적인 음으로 간주한 반면 '미'는 타락한 인간의 음이라는 이유에서였다. 그럼에도 '미'는 미신적인 배척을 이겨내고 급속히 번져나가 15세기 르네상스 음악의 시작을 이끄는 커다란 역할을 했다.

이런 역사로 미루어 보건데 〈개여울〉에 '미'가 가장 많다는 사실
이 이 노래의 감미로운 분위기와 무관하지 않음을 눈치 챌 수 있
다. 아마 그래서 청량리의 꼬마도 커서까지 이 노래를 좋아했는지
모른다. 소월이 이 노래를 듣는다면 어쩌면 이렇게 내 시적 감성을
잘 표현했을까 감탄할 것만 같다.

식당 아들의 풍월 ♫

서당 개 삼 년이면 풍월을 읊는다고, 나는 식당 아들 삼 년에 가요를 읊었다. 초등학생 시절부터 가요에 심취했다. 종일 라디오 노래가 나오는 식당 환경에서 성장한 바람에 그리되었다. 그래서 그 시절의 가요에 어린 날의 애틋한 향수가 절로 오른다.

초등 4학년이던 1973년에 청계천에서 짜장면집을 할 때의 노래 이야기를 풀어 보련다.

우리 식구의 생활방인 식당 다락에 올라가서 손오공 만화책을 보다가, 식당 벽면에 붙은 좁은 나무계단을 내려와 주방에 가서 짜장면발 한 둘 얻어먹고, 밖에 나가 친구들과 놀다가 다시 집에 오면 자연스럽게 라디오 노래에 묻히게 된다. 자주 들어 아는 노래니 나도 모르게 따라 부르면, 손님들 곁에서 반찬 깨나 받아먹던 우리 개 복실이도 옆에 쪼그리고 앉아 꼬리 춤을 추었다.

그러다가 가수들 노래가 내 십팔번이 되어버렸다. 친척들이 우르르 모이면 나더러 노래 한 곡 부르라 하셨고 나는 창피했지만 열창을 했다. 당연히 당시 유행가들이다. 제법 포즈를 잡고 가수들 흉내를 내기도 했다. 지금껏 내 입에서는 가요가 흘러나온다. 하루면 서너 곡이 절로 나오니 이상도 하다. 스스로 위로한다. 순수한 동요니까, 내게는.

학교에서 배운 동요들을 집에서는 부를 기회가 거의 없었다. 가요가 먼저 들려오니까. 집에서 동요를 많이 부른 건 부모님이 식당을 그만두어 우리가 가정집에 살던 5학년 딱 1년 동안이었다. 4학년이던 청계천 식당 시절에는 동요를 부른 기억이 별로 없다.

어쩌면, 딱 한 곡 있다. 어느 날 라디오에서

'♬ 우랑바리 다라나 바로웅~ 무따라까 따라마까 뿌라냐~
손오공 손오공 달려라 손오공'

하는 노래가 들렸다. 이 노래는 라디오 어린이 드라마 〈달려라 손오공〉의 주제가였다. 마침 그 당시 좋아하던 어린이 잡지 〈어깨동무〉의 별책 부록이 손오공 만화여서 더 좋아하게 되었다. 돼지 같은 저팔계나 만화 속의 용감한 손오공 흉내를 내면서. 이게 동요인지 아닌지 모르겠지만 아무튼 그 당시 자주 부른 유일한 동요가 아니었나 싶다.

당시 유행하던 가요는 '방주연' 씨의 〈당신의 마음〉, '정미조' 씨의 〈파도〉, '하춘화' 씨의 〈호반에서 만난 사람〉, 그리고 '남진' 씨의 〈님과 함께〉와 〈젊은 초원〉 등등 많았는데 하나 같이 내게 청계천 시절감을 느끼게 해준다. 중학교 2학년 때 일기장에 정리한 내 추억의 노래 모음에는 이 시기의 노래가 20곡쯤 적혀있다.

물론 그렇다고 초등 4학년생이 유행가에 찌들어 살리는 만무했다. 뭐니 뭐니 해도 골목놀이가 제일 재미있고 만화 영화 주제가가 라디오 유행가보다 더 좋았다. 하지만 종일 귀에 들리는 바가 가요였고, 무엇이든 거부감 없이 받아들이는 나이이다 보니 가요 역시 좋았다. 심지어는 몇 몇 노래에 중독된 것도 같다.

하춘화 씨의 〈호반에서 만난 사람〉을 TV로 보았는데 노래의 오르내림이 묘하게 재미있었다. 제목도 가사도 잘 몰랐지만 어째서 느낌이 그렇게 좋았는지 나도 모르겠다. 가수의 간절한 창법이 잔상에 남아있는 걸 보면 가수 때문이었는지도 모르겠다. 반평생 그때의 느낌에 이 노래를 찾았다. 이건 비단 한 예에 불과하고 다른 가수들의 숱한 노래들도 저마다의 느낌이 체득되어 평생 가슴에 남았다.

그 와중에 뭔가 다르게 들려오는 노래가 하나 있었다. 남진 씨의 〈젊은 초원〉이다. 당시 가요들과는 달리 가사에 남녀의 사랑 내용이 없어 어린 마음에 징그러움이 없었다. 노래는 초등학교 3학년이던 청량리 식당 시절 때부터 들었던 터라 그때와 청계천의 시절감이 겹친다.

그때의 향수가 좋고 가사가 좋아 후로도 많이 흥얼거렸다. 건전한 가사의 맛에 중·고등학생 때까지도 거부낌 없이 즐겼다. 유행가

나 팝송을 부르면 선생님한테 혼날까봐 조심하게 되는 시대에 이 노래는 편히 부를 수 있었다. 고등학교 1학년 때는 이 노래로 영작을 해서 흥얼거렸다. 영작이래야 단어들만 억지로 붙인 수준이라 엉망이었지만 그만큼 이 가사를 좋아했다. 아직도 영작 가사가 기억난다.

♬ wet to the water on the grass
  looking to the star 어쩌구 저쩌구(기억 안 남)
  don't know name flower
               ('남진' 노래, 〈젊은 초원〉의 내 영작 일부)

이런 식이었으니 웃기지도 않는 영작이었다.

이 노래 뒤로 엄마 아빠랑 푸른 초원이 있는 어린이대공원에 간 기억이 난다. 부모님은 노래를 참 좋아하셨다. 아니 우리 집안이 그랬다. 전라남도 신안 출신이라서 그런지도 모른다. 집안이 모여 야외 놀이를 나가면 어른들은 큰어머님의 선창을 따라 '강강술래'를 끝도 없이 부르셨다. 아버님은 시골의 노래자랑대회에서 기타 반주를 하셨고 어머님은 노래를 직접 녹음하셔서 동네사람들이 빌려가곤 했다. 그리고 그 집 아들은 노래를 들으며 가요를 동요처럼 즐겼다.

추억이란 울게도 하고 웃게도 한다. 사람들이 추억의 노래에 묻혀 사는 이유도 그날의 이야기들을 가져와 메마른 가슴을 적셔주기 때문일 것이다. 아마 어느 식당 아들의 풍월이 지금도 계속되는 이유이기도 할 것이다.

관심 항아리 ♬

제일 좋아하는 노래를 한 곡만 고르라면 선뜻 결정하기 쉽지 않다. 드라마 모래시계의 주제곡이었던 〈백학〉을 듣다가 그 비장함에 호흡이 멈추어버리면 이걸로 할까 하다가도, 찬송가를 부르다가 가슴이 찡해오면 또 바뀌고 만다. 그러다가도 안데스 산맥 뒤로 〈엘 콘도파사〉를 연주하는 팬플룻 소리를 듣다 보면 또 달라지는 식이다.

그래도 나에게 제일을 견준다면 어떤 노래든 가수 '송창식' 씨의 〈피리 부는 사나이〉와 한 번은 비교 견적을 해봐야 한다. 이 노래를 1등으로 꼽기에는 아쉬운 점이 많다. 남성 듀엣 '어니언스'의 〈편지〉처럼 대중의 감성을 마구 울릴 정도도 못되고 '양희은' 씨의 〈아침이슬〉처럼 깊은 은유를 담은 시적 가사도 갖추지 못했다. 여느 가곡처럼 음악적으로 뛰어나지 않으며 찬송가처럼 내 영혼을 마구 울리지 못한다.

그런데도 시간이 지날수록 이 노래에 꽂히는 이유는 노래가 꼭 내 이야기 같아서다. 이 노래는 내가 초등학교 5학년 때 나왔는데 당시의 나는 피리 부는 소년이었다. 음악 시간에 알게 된 피리가 너무 좋아 어딜 가도 피리가 없으면 허전했다. 피리는 가방에 필통 처럼 담겨있었고 김밥만큼이나 좋아 소풍 때도 가지고 다녔다. 오 죽하면 고교 수학여행 때도 가방에 담았을까?

학교를 마치고 집에 돌아오면 그날 음악시간에 배운 노래를 피리 로 불렀다. 피리는 계이름 악기라 교과서의 음표 위에 계이름을 하 나하나 찾아 적어놓아야 했다. 조마다 계이름의 위치가 달라 꼼꼼 하게 찾아야 했지만 피리를 부른다는 재미에 그런 수고쯤은 문제가 되지 않았다. 음악 수업이 없는 날에도 학교에 음악책을 가져가곤 했다. 음악교과서가 다른 책 보다 작고 얇은 이유를 몰랐는데 지금 생각해보니까 하하, 아마도 나 지니기 편하라고 그랬던 것 같다.

피리를 부르며 동네 골목을 돌자면 참 기분이 좋았다. 이 골목 저 골목에 내 피리소리가 울리면 아이들이 소리를 따라 줄을 서고 그러면 술래잡기도 하고 다방구로 온 몸에 땀범벅이 되기도 했다.

한 10년 피리 사랑을 했더니 아는 노래라면 무엇이든 계이름으 로 바꿔 부를 수 있게 되었다. 노래의 음률을 들으면 절로 계이름 이 연상되기 때문이다. 조금 틀리는 건 천천히 음을 생각하면서 부르면 찾아진다. 아는 노래는 무엇이건 기타로 칠 수 있는데 이도 다 내가 계이름 박사(?)가 된 때문이다. 재미 삼아 혼자서 익힌 것이라 어설프기 짝이 없지만 여럿이 야유회 나가 즐길 만은 하다.

군대 교회에서 2년 동안 풍금 반주를 했던 것도 피리 사랑 때문이었다. 악보를 안 보고 쳤다. 아는 노래라 계이름에 맞추면 되니까. 모르는 찬송은 악보를 봐도 못 쳤다. 그러니 완전 군바리 뚱땅 도레미. 그래도 어쭈, 건반 되네! 하며 치란다. 몇 년 간 졸고 있던 군바리 풍금이 뚱땅춤을 쳤것다.

이제는 악보를 보면 음이 떠오르고 피아노가 잘못 쳐도 구분이 된다. 남녀 네 성부가 동시에 불러도 어느 파트가 틀리는지 귀에 들린다. 지금 다니는 교회는 10년째 성가대 지휘를 내게 맡겼다. 음악전공자 보다야 많이 부족하지만 그래도 그냥 하란다. 하기사 나는 예닐곱 살 때부터 지금까지 반평생 입에 노래를 달고 살았으니까 후후, 까짓 거 뚱땅 도레미 전공자라 불러주시면 고맙겠다.

이런 이유로 나는 송창식 씨의 노래 〈피리 부는 사나이〉에 일체감을 느낀다. 생의 일정 순간마다 피리와 나의 깊은 관계가 느껴졌고 그때마다 이 노래가 떠올랐다. 그가 이 노래를 작곡하게 된 동기가 자신이 피리 부는 소년이었기 때문이라고 밝혔을 때는 그와의 일체감마저 느꼈다.

송창식 씨가 양팔을 해 벌리고 노래하는 장면이 이 노래에 연상된다. 그만큼 격식이 필요 없고 누구나 편히 부를 수 있다. 앞부분을 계이름으로 비교어 보았다.

〈피리 부는 사나이〉의 첫 세 소절 계이름
라미 미미 도레 미미레
솔레 레레 시도 레레도
파도 도도 라시 도도시라미

계이름을 보라. 소절마다 한 음씩 내려간다. '라-솔-파, 미-레-도'로 쪼로록 내려가는 것이 양손 놓고 자전거 타는 재미라! 흥미롭고 짜릿하다. 단순하면서도 맛깔스럽다. 그래서 쉽고 대중적이다. 포크송의 대가다운 작곡이다.

언젠가 송창식 씨는 방송에서 이런 말을 했다.

"음악은 음짓을 합니다. 음짓이 시대정신에 어울리면 사람들은 몸짓을 합니다."

시절가였던 〈고래사냥〉 같은 노래를 두고 하는 말이었는데 나는 그의 노래 〈피리 부는 사나이〉에 몸짓을 한다. 이미 내 몸의 한 세포가 되었다고나 할까?

일본의 동물학자 '히다카 도시다카'는 자신의 저서 『동물이 보는 세계 인간이 보는 세계』에서

"모든 종들은 자신의 관심에 따라 결정되는 세계에서 살아간다."

라고 말했다.

그렇다. 우리의 세계는 관심이라는 항아리 단지에 온통 담겨있다. 그리고 그 '관심 항아리'의 초점은 '나'다. 무엇이든 나와 직·간접적

으로 연결돼 있어야 관심을 가지게 된다. 이기적이어서 그렇다기보다는 생존에 필수적이기 때문이다. '나'라는 가치는 단순지고(單純至高)한 것이어서 나와 동일시되는 무엇이라면 더없이 값지다. 노래 〈피리 부는 사나이〉가 나에게 그런 것처럼.

그래서 이 노래는 나의 관심 항아리 속에 깊숙이 들어 있다. 이렇게 생각하면 최고의 노래를 정하는 기준은 단순해진다. 내 최고의 노래는 내가 주인공인 이 노래로 하기로. 괜히 음악성이고 뭐고 복잡하게 따질 필요가 없다. 겨우 그거야? 라고 해도 좋다. 에헤라 디야!

이 노래는 나의 관심 항아리 속에 깊숙이 들어 있다. 이렇게 생각하면 최고의 노래를 정하는 기준은 단순해진다. 내 최고의 노래는 내가 주인공인 이 노래로 하기로. 괜히 음악성이고 뭐고 복잡하게 따질 필요가 없다.

몰라서 즐거운 ♬

가을바람이 소소하게 불어온다. 퇴근을 앞두고 책상을 정리하는데 가수 송창식 씨의 곡 〈새는〉의 악보가 눈에 띄었다. 종일 분주했던 공간이 퇴근할 시간이 되어 고요해지니 갑자기 잔잔한 음악이 그리워져서 집에 가려다 말고 책상 옆에 걸려있는 기타를 잡았다.

'♬ 새 ~~~~ 는

도입부에서 노래는 낮은음으로 시작해 부드럽고 느린 선율로 이어진다. 마치 생각하는 새가 있어 깊은 생각의 늪에 빠져 있는 것만 같다. 뒷부분에서 새의 초롱한 눈망울이 당신의 마음을 닮았다는 가사까지 이 곡은 전체적으로 시를 읊는 느낌이나.

초등학교 6학년이 되는 1975년 새해 특집 방송에서 이 노래를 처음 들었다. 그래서 처음엔 제목이 〈새해는〉인 줄 알았다.

노래를 부르자니 가슴 한쪽에서 그 시절의 먹먹한 느낌이 쏴아 올라온다. 뭐랄까, 멀리 떠나가는 외로운 새를 어린아이가 신기한 눈빛으로 바라보는 느낌 같은 것이다. 막연한 동경 속에서 아련한 비린내와 함께 찾아오는 상념이다. 나도 모르게 미소가 지어진다. 이런 순간의 미소는 언제나 가난하다. 아무런 욕심도 끼어들지 않은, 텅 빈 순수의 미소다.

하지만 그 시절의 나의 심정은 이런 미소와 어울리지 않는 상황이었다. 6학년이 되면서 전학 간 학교에서 왕따를 당했다. 친구들은 물론 담임교사에게조차 그랬다. 돼지같이 생긴 덩치 큰 친구는 내가 화장실에서 소변을 보고 있는데 '비켜 내 자리야' 하면서 내 옆구리를 주먹으로 때렸다. 화장실에 자기 자리가 어딨나? 억울했지만 덩치가 무서워서 한쪽으로 피했다.

어느 날 담임 선생님이 나를 심하게 때리는 걸 보고 아이들은 왕따를 멈추었다. 그들의 실수로 내가 맞았기 때문이다. 선생님은 나를 싫어했던 것 같다. 내가 잘못하면 남들보다 더 큰 벌을 주었다. 선생님은 아이들이 나를 반 대표 축구선수로 추천할 때 싫은 표정으로 머뭇거렸다.

나의 편견이었다고 치부하고 싶지만 부자 동네에 전학 온 가난한 아이여서 그랬다는 생각마저 들었다. 학교는 서울의 중심부에 있었다. 늘 꾀죄죄한 내 옷에 비해 선생님의 옷과 선생님이 제일 좋아했던 반 친구의 옷은 휘황찬란한 가죽옷이었다.

내 인생 통틀어 가장 외로웠던 시기다. 전학 오기 전 5학년 때는 담임선생님과 가까운 도봉산 등산을 같이 갔을 정도로 가까웠는데……. 하지만 전학을 가서는 정반대가 되었다. 그런데도 지금은 6학년 시절을 미소로 회상하게 되니 추억이란 참 이상하다는 생각이다. 심리학자들 말처럼 추억에도 콩깍지가 덮히나?

이 노래 〈새는〉은 도입부와 후반부의 음악이 짙은 향수를 준다. 시작할 때 급박하게 통기타를 한판 치고선 갑자기 소리를 죽이고 나지막이 '새~~~~~는' 하고 부르면 뻐꾸기 소리가 멀리 울려 퍼지는 것만 같다. 노래에 동화되어 죽 이어가노라면 행복 하나 선물받은 느낌이다. 후반부에 이르러 먼 옛날을 회상하는 가사에 이르면 어린 날 나의 초롱했을 눈동자가 마치 새의 까만 눈망울 같게만 느껴진다.

그때는 '당신의 닫혀있는 마음을 닮았구나'라는 가사가 '당신의 딱또있는 마음을 닮았구나'로 들렸다. 집중력을 가지고 들은 건 아니지만 열 번을 들어도 그렇게 들렸다. '마음이 닫혀있다'는 표현 자체를 몰라서 그랬나 보다. 또한 '딱또'의 뜻이 궁금하지도 않았다. 팝송을 뜻도 모른 채 흥겨워하는 상황이나 마찬가지렷다. 어쩌면 모르니까 더 상상할 수 있어서 좋았을 것이다.

지금 나의 입가에서 가사가 갈바람을 타고 흐른다. 부르다 보니 우습다. 시적 표현이긴 하지만, 새가 노래하는 의미를 모른다는 가사니 날아가는 곳도 모르면서 날아간다는 가사는 이래지래 히딩이라, 우리가 모르는 것이지 어찌 새가 모를까? 하지만 무슨 상관이랴, 모르는 게 차라리 더 나은 것을.

아이들은 모르니까 더 웃으며 사는지 모른다. 우리는 모르는 만큼 웃는 것일까? 언어와 경험이 축적되고 세계를 알아갈수록 웃음보다는 침묵이 더 많아졌으니 모르는 게 약은 약인가 보다.

음악적 형상감 ♬

생각 속에 묻힌 노래는 눈을 감아도 내청이 들린다. 가수 '김정호' 님의 노래가 꼭 그렇다. 그의 노래에는 우수가 짙게 깔려 연못가의 버들잎처럼 외로움이 낱장으로 떨어진다. '♬ 버들잎 따다가 연못 위에 띄워놓고'로 시작하는 그의 노래 〈이름 모를 소녀〉는 특히 더하다.

왠지 구슬픈 '김정호' 님의 노래, 쓸쓸함이 돋보이는 가사시(歌詞詩), 애처롭게 우는 비둘기처럼 깊은 숨을 내뱉는 듯한 그의 창법, 아마 이런 것들이 많은 사람들로 하여금 그의 노래를 좋아하게 만들었을 것이다.

〈이름 모를 소녀〉 같은 곡을 듣노라면 6학년 소년도 노래의 정체 모를 감정이 좋았다. 이 노래가 내 귀에 익숙한 음조로 들려온 것은 6학년 시절이었다. 그전에도 아마 간간히 들었을 테지만 이때쯤 되어서는 완연히 나를 사로잡아 애창곡이 되었다. 5학년 때 '어니언스'의 노래 〈편지〉를 참 좋아했는데 6학년이 되어서는 이 노래가 추가되었다.

고등학교 1학년 때 엄마랑 이종 사촌누나랑 방에 둘러앉아 잡담하던 중에 누나가 나더러, 희석이 너 좋아하는 노래 하나 해봐라, 해서 이 노래를 불렀던 걸 보면 어린 나도 어지간히 이 노래를 좋아했나 보다.

노래 속에는 쓸쓸한 기다림 끝에 돌아서서 떠나가는 이름 모를 소녀가 등장한다. 소년에게 소녀란 미지의 영역이다. 손만 스쳐도 요상한 감정이 올라온다. 그래서인지 노래는 나를 묘한 나라로 끌고 갔다.

그렇더라도 소녀와의 사랑 같은 거? 없어도 그만이었다. 굳이 소녀가 없어도 13살 소년에겐 노래의 재미가 소녀 그 자체였다. 노래만으로 사랑을 해도 충분했다. 혼자서 무드를 잡는답시고 인상을 써가며 휠휠 불렀고 그러면 뭐가 좋은지 좋았다. 40년이 훌쩍 지난 지금도 이 곡을 부르면 아득한 무엇이 가슴을 적신다. 그게 뭘까? 노래란 참 이상하다. 도대체 노래와 함께 찾아오는 이 독특한 감정의 정체는 무엇일까?

♫ ♫

이 감정을 어떤 음악가들은 **음악적 형상감**이라고 부른다. 이 말은 음악적 형상화라는 용어에서 나왔다. 우리가 보통 어떤 음악을 생각하면 곡의 가사와 음정, 리듬 같은 것이 머릿속에 떠오르곤 하는데 이것을 전문용어로 **음악적 형상화**(musical imagery)라고 한다. 그리고 이때에 발생하는 감정을 음악적 형상감이라고 한다.

음악을 들으면 감정의 변화가 일어나는 이 신기한 현상의 이유를 찾기 위해 고대로부터 인류는 많은 공을 들였다. 피타고라스학파 같은 고대 그리스 학자들은 소리가 지닌 주파수가 원인이라고 했다. 거친 소리와 부드러운 소리, 서로 어울려 듣기 좋은 소리와 그렇지 않은 소리의 원인이 주파수에 있다는 것이다.

음악이 우주 혹은 신의 질서이기 때문이라는 옛 믿음도 있었다. 그 믿음에 의하면, 별들은 지구의 천장인 우주에 붙어있는 존재였다. 그 별들 사이에는 보이지 않는 현이 이어져 있어서 우주는 끊임없이 음악을 연주한다고 생각했다. 결국 음악은 우주에 기원을 두고 있어서 우리의 가슴에 감동을 준다고 믿었다.

중세 이후 '가사 그리기'라는 현상이 나타났는데 이것이 음악적 감성의 원인이라 생각하기도 했다. 노랫말을 지을 땐 아무래도 풍부한 감정이 들어가게 마련이다. 그리고 작곡가는 그 의미에 맞추어 음의 높이나 박자를 찾아 노래를 만드는데 이를 두고 '가사 그리기(Word painting)'라고 말한다. 그러므로 악보는 가사를 그린 그림이다. 그러자 가사를 따라 리듬과 음정까지 총체적으로 감정 덩어리가 되었다. 이런 이유로 노래를 부르거나 들으면 음악만의 독특한 감정, 즉 음악적 형상감이 올라온다.

생각 속에 묻힌 노래는 눈을 감아도 내청이 들린다. 가수 '김정호' 님의 노래가 꼭 그렇다. 그의 노래에는 우수가 짙게 깔려 연못가의 버들잎처럼 외로움이 낱장으로 떨어진다.

그러므로 음악적 감성의 원인을 찾을 때 '가사 그리기'는 매우 유력한 후보다. 하지만 이것만으로는 부족하다. 가사가 없는 음악, 즉 악기 음악 같은 소위 절대 음악도 교향악 연주에서 보듯이 우리의 감성을 충분히 고양시킨다. 뿐만 아니라 시냇물 소리나 계곡의 새소리를 들어도 우리는 그와 같은 감성의 변화를 느낀다.

따라서 음악적 감동을 일으키는 보다 근원적인 무언가가 있을 거라고 생각된다. 현대에 와서, 노래를 들려줄 때 뇌파나 호르몬의 변화 관계가 밝혀지면서 이것이 음악적 형상감의 원인이라는 가설도 나타났다.

하지만 아직도 확고하게 통일된 정설은 없다고 한다. 어쩌면 슬픔이나 기쁨 같은 감정처럼 음악적 형상감도 독립된 또 하나의 감정으로 보는 게 더 정확한 설명인지도 모른다.

♩ ♩

여기에 배놓을 수 없는 것이 있다. 바로 **추억의 노래**다. 노래에 추억이 더해지면 음악적 형상감이 뚜렷해진다. 사람의 기억은 세월이 흐르면 바뀌지만 노래는 그렇지 않다. 가사도 음정도 옛 그대로이다. 이것은 노래가 지닌 힘이다. 그것도 아주 강력한 힘이다. 여기에 추억까지 겹쳐지니 추억의 노래란 얼마나 큰 힘을 가지는지, 눈물을 흘리게 할 만큼 강하리라. 물론 아무리 노래를 불러도 감동이 없는 목석들이 있다는 소문을 듣긴 했지만 다행히도 나는 이직까지 본 적이 없다.

〈이름 모를 소녀〉, 이 노래 뒤로 그리운 옛 집이 떠오른다. 지붕이 'ㄱ'자로 구부러진 빨간 기와집이었다. 6학년 소년이 반들반들한 마루를 건너 마당으로 깡총 내려가며 이 노래를 부르던 거짓말 같은 기억이 난다. 조숙하지도 않은 그저 까불이 소년이었는데 정말일까 의심이 되는 기억이다. 그런데 노래와 함께 저절로 이 기억이 나는 걸 어쩌랴?

그 집을 찾아간 것은 실로 40년이 훌쩍 지나서였다. 주소지는 서울특별시 도봉구 미아4동 54-81, 같은 서울에 살면서도 이렇게 오랜 시간을 보내고 말았다. 마음 그리움이 불현듯 부풀어 무작정 찾아간 곳은 영 남의 동네였다. 동네가 완전히 달라져서 한 시간이 넘도록 헤매다 포기할 즈음에 그 집을 찾았다.

놀랍게도 집은 아직도 기억자로 구부러진 형태의 기와지붕을 간직하고 있었다. 빛바랜 기와에 40년의 세월이 희끗 보였다. 문은 거대한 철문으로 아마 트럭이 드나들도록 개조한 것 같았다. 문이 잠겨 정든 마당과 마루는 보지 못했지만 공장으로 개조한 듯하여 많이 달라졌을 것이다.

한동안 그 자리를 떠나지 못했다. 노트를 꺼내 그때의 노래 그때의 이야기들을 마구 적었다. 집은 변했지만 노래는 강력한 힘으로 그 자리에 남아 자꾸만 내청(inner-hearing)이 들려왔다.

글을 쓰는 지금도 노래가 들려온다. 우수수 흔들리는 버들가지처

럼 '김정호' 님의 우수 띤 목소리가 밀려온다. 눈을 감고, 절대로
눈을 뜨지 말고 불러야 하는, 쓸쓸히 돌아선 님을 따라 아주 갈 생
각으로 불러야 하는 곡이 들려온다.

가수 '김정호' 님의 곡 〈이름 모를 소녀〉처럼
노래에 추억이 더해지면 **음악적 형상감**이 뚜렷해진다.
기억은 세월이 흐르면 바뀌지만 노래는 그렇지 않다.
가사도 음정도 옛 그대로다.
이것은 노래가 지닌 힘이다. 그것도 아주 강력한 힘이다.

노래는 나무다 ♬

달력이 며칠 전에 2020년으로 넘어가버렸다. 머뭇거림도 없이 넘어가는 달력 앞에서 많은 생각을 하게 된다. 시간은 흘러가버리는 것일까 쌓이는 것일까? 시간의 흐름을 아쉬워해야 할까 말까? 이럴 때 노래는 쓸 만한 해답을 제공한다.

노래와 함께 과거의 시간이 살아나는 경험은 누구나 해보았을 것이다. 노래에 추억이 얽히지 않은 사람이 없다고 보면 노래는 확실히 시간을 쌓아놓는 마력을 지니고 있다. 게다가 소리 내어 부르노라면 순간 활력이 돋아 또 하나의 세계를 선물 받는 듯하다. 노래를 가까이한다면 세월 유수를 덜 아쉬워해도 될지 모른다.

'슈베르트'의 가곡 〈보리수〉와 관련해 나는 시간이 아깝지 않은 추억을 가지고 있다. 중학교 2학년 음악 실기 시험에서 이 노래로 95점, 전교 최고점을 받았던 것이다. 학교 수업 외에 따로 노래를 배운 적 없는 생목소리의 소년에게 이는 사건이었고 당연히 내 인생 처음이자 마지막이었다. 선생님은 나를 일으켜 세워서 칭찬해주셨고 이 기억으로 인해 나는 이 노래를 평생 좋아했다.

> '♫ 성문 앞 우물 곁에 서 있는 보리수
> 나는 그 그늘 아래 단꿈을 꾸었네
> 가지에는 희망의 말 새기어 놓고서
> 기쁘나 슬플 때나
> 찾아온 나무 밑 찾아온 나무 밑'

(빌헬름 뮐러 시 / 슈베르트 곡, 〈보리수〉, 1827)

이 노래, 처음 배울 때 재미없었다. 다른 노래들과는 달리 선생님의 풍금소리도 별로 다가오지 않았고 가사도 잘 이해가 가지 않았다. 이 사건이 아니었다면 곧 잊었을 것이다. 집에 가서 재미 삼아 피리로 불러 보니 곡이 어렵고 왠지 다가오지 않았다. 해서 조그마한 음악 교과서를 고요히 접었다.

그런데 이 곡이 그렇게 유명한 노래일 줄이야. 이 유명한 곡으로 실기시험을 보겠다는 선생님을 우리는 얼마나 원망했던가. 멀대 같은 남학생들은 그저 한숨만 팍팍 쉬었다. 어쩔 수 없이 나는 피리 하나 붙들고 연습 또 연습을 하였다.

위 악보를 보면 알겠지만 이 노래는 외워서 부르라치면 이내 박

자의 까다로움을 알게 된다. 못갖춘마디로 시작해서 계속 변하는 박자, 게다가 셋잇단음표까지. 정확히 외워 부르기란 참으로 까다로웠다.

　대부분의 아이들이 반도 못 부르고 탈락했다. 나에게는 계이름으로 부르라는 명이 떨어졌다. 육각 연필심을 굴렸더니 계이름이 나온 것이다. 계이름이야 다 외웠으니까 걱정이 없는 데 문제는 박자였다. 혹시나 틀리면 가차 없이 처단당할 터, 그저 매 순간 바뀌는 박자를 외운 데로 짚어가면서 위기의 징검다리를 한 칸 한 칸 건너갔다. 떨림 속에 노래를 이어가는데 선생님은 발성 같은 건 개념도 없던 생목소리 소년의 노래를 끝까지 들어주셨다.

　이렇게 다가온 노래는 반평생 점점 매력을 더했다. 이 곡은 슈베르트의 연가곡 『겨울 나그네』에 실린 24개의 곡 중 제5번 곡이다. 처음 원곡을 듣는데 한 부분에서 감정이 흔들렸다. 장조에서 단조로 잠시 변하는 부분인데 학교에서는 배우지 않아 몰랐다. 그런데 들어보니 이 부분에서 노래가 애절한 날개 짓을 하는 게 아닌가?

　이 잠시간의 변화로 마음 한 자락을 뒤흔들어놓고는 속절없이 애써 태연한 척 다시 장조로 바뀐다. 이윽고 곡이 호수의 수면을 따라 미끄러지며 비행을 멈추면 안개 속에서 하얀 꿈들이 밀려온다. 어릴 적 나무에 새겨놓았던, 이제는 사라져 아쉽기만 한 꿈들이다.

　연가곡의 주인공은 사랑을 잃은 청년으로, 실의에 빠진 청년은 옛적에 희망의 말을 새겨놓았던 보리수를 찾아가 위로를 받고자 힌다. 그리고 나무는 기꺼이 그를 위로한다. 노래도 그렇다. 노래는 나무처럼 시간을 쌓으며 우리와 더불어 자라, 그 아래 깃들면 추억을 데리고 와 위로해준다. 그래서 노래는 나무다.

사춘기 이유식 ♫

　음악은 우리를 성숙하게 해주는 기운이다. 그것은 줄넘기하는 아이들을 즐겁게 해주고 힘겹게 고개를 넘는 나그네의 땀을 식혀준다. 외로운 영혼에게 다가오는 찬송은 커다란 위로가 되고 모차르트의 고음에는 상처 난 내면을 치유하는 힘이 있다. 〈목포의 눈물〉 같은 아련한 노래를 부르면 슬픔을 이기게 해주는 무엇이 가슴속에서 올라온다. 그럴 때마다 우리는 조금씩 커간다.

　또한 음악은 성숙의 표식이기도 하다. 성장함에 따라 말이나 생각이 바뀌듯이, 절로 바뀌는 선호 음악의 성향을 보면 이를 알 수 있다. 고1이 되면서 팝송을 외우고 다녔다. 갑작스런 변화였다. 들리는 대로 받아 적은 가사는 엉망이었고 당연히 뜻도 몰랐지만 그게 왜 그렇게 좋았는지. 동요, 가요, 팝송, 가곡, 클래식 등등 우리는 누구나 좋아하는 장르가 나이에 따라 변해가는 체험을 한다.

초등학생들의 선호 음악은 대개 '재미'를 기준으로 구분된다. 노래가 아이들의 서정을 사로잡을 때 아이들은 재미있어라 한다. 그 서정을 아이들은 '재미'라고 표현하는 것이다. 사람에 따라 차이가 있겠지만 아이들에게 가곡 같은 건 대체로 '재미'가 없어 입가에서 밀려난다. 성악가들이나 웅웅 거리는 이상한 세상의 노래에 불과하다.

중학생이 되면서 나는 좋아하는 노래의 구분 기준이 '재미'에서 탈피하기 시작했다. 진학을 했는데 중학생으로 만들어준 그 봄이 전에 없이 새롭고 좋았다. 과목마다 선생님이 다르고 교복이라는 구별된 복장을 입어서인지 변화가 실감 났다. 변화를 인지하는 것은 자아에 눈을 뜨는 과정이요 그만큼 성숙해진 것이다.

'♫ 작은 새 노래하니 봄이 왔어요' 로 시작되는 노래 〈즐거운 봄〉을 배웠는데, 지금도 불러보면 복도를 오가는 중1 소년의 송송한 발걸음이 느껴진다. 노래가 재미있어서 라기보다는 당시의 변화가 좋아서 기억에 각인된 것 같다.

중학생 된 것도 좋은데 창문 너머로 여자 중학교 교실이 보여 기쁨은 배가 되었다. 더구나 그 아래층에는 무용실이 있어 우리는 날마다 무용수들을 바라보는 행운을 누렸다. 그러니 이 변화가 얼마나 좋았겠는가?

죄송, 얘기가 잠깐 빗나갔다. 헛소리 그만하고 다시 본론으로 돌아와서, 중학생이 되자 〈스와니강〉 같은 민요들이 좋아지더니 〈로

렐라이〉에 이르러서는 전에 없던 감정들이 생기기 시작했다. 〈로렐라이〉는 1976년 당시 유행하던 〈나자리노〉라는 영화음악과 느낌이 비슷해서 부르노라면 가슴이 부웅 뜨는 재미가 있었다. 악보 옆에 그려진 로렐라이의 동상을 보면서 라인강의 아름다운 소녀를 상상했음은 물론이다. 노래에 재미 외에 뭔가가 있음을 느끼기 시작했다. 이를테면 낭만 같은 것인데, 아직은 그것이 무엇인지 구분을 못했다.

중2가 되어서 소년은 가곡 〈장안사〉를 배웠다. 이은상 작사, 홍난파 작곡의 1933년 곡이다. 처음 배울 때 재미없었다. '장하던 금전벽우 찬 재 되고 남은 터에'로 시작하는 노래는 가사도 어렵고 음률도 쉽지 않은 편이어서 중2 학생에게는 가까워지기 힘든 곡이다.

그래서 전 같으면 거들떠보지도 않았을 텐데 이번엔 이상하게 무언가 좋았다. 뒷산에 올라 피리로 이 노래를 불었고 동네를 오가는 골목에서 이 노래를 흥얼거렸다. 그러다가 그 '무엇'을 구분해냈으니 그것은 '장엄'이었다. 노래가 장엄한 기분이 들어 좋았던 것 같다.

장엄이라는 게 좋아지다니? 소년은 조금씩 변해가고 있었다. 훗날 가사의 정확한 의미를 알고 보니 장엄함보다는 비장함에 가까웠지만 중2 소년의 수준은 거기까지였다.

가사 중에 나오는 금전벽우(金殿碧宇)는 신라시대에 세워진 금강산 징인사의 찬란한 모습을 형용한다. 숱한 화재로 중건을 빈복하다가 결국엔 차가운 잿더미만 남은 절의 흥망을 노산은 비장한 가슴으로 작시했다. 곡에 셋잇단음표가 많은 것은 흥망성쇠의 오르내림을 은유하는 듯하여 부르는 이는 절로 비감해질 수밖에 없다.

그래서인지 이 노래를 부르면 내가 좀 더 어른이 된 것 같은 묘한 착각도 있었다. 이유도 없이 자기 잘난 맛에 쉬이 빠지는 사춘기의 철없는 거만인 것도 같다.

이윽고 〈알로하오에〉〈산타루치아〉 같은 노래들이 교과서에 나오는데 미치도록 좋았다. 내 피리가 일생 가장 바빴던 시기가 이들 노래를 배우던 중학교 2학년 때였다.

미국에게 하와이를 빼앗긴 마지막 여왕이 부르는 노래라는 애달픈 사연에 〈알로하오에〉는 부를 때마다 '검은 구름에 감추인 달빛'이 내 맘에 흘렀다.

'♬ 검은 구름에 감추인 달빛 / 어두운 우리 마음 같이
 날이 밝으면 헤져야 하는 / 여름밤 짧은 꿈이 괴로워
 알로하오에 알로하오에~ (하략) '

이 노래를 생각하니 당시의 시절감이 밀려온다. 마지막으로 TV 만화프로를 즐기고 술래잡기를 하던 15살 나이의 감성이다.

1977년, 면목 5동 86번 버스 종점 앞 찐빵 집 아들은 하나에 10원 하는 찐빵을 하루에 10개씩 먹었다. 제 머리보다 훨씬 큰 까만 중학 교모를 쓰고, 학교 다녀왔습니다, 하고 꾸벅 인사를 하면 엄마는 얼른 찐빵을 쪄서 하얀 설탕과 함께 쟁반에 가져다주셨다.

그걸 다 먹으면 나가서 골목놀이를 했다. 어두워질 때까지 땀이 흥건해지도록 다방구를 하고 술래잡기를 하였다.

노래 〈알로하오에〉를 부르면 그 밤들이 생각나면서 노래의 슬픈 사연을 따라 나도 슬퍼지는 느낌이 살살 올라온다.

바로 다음 페이지에 있던 〈산타루치아〉는 거의 일 년 동안은 가장 좋아했던 곡이었나 보다. 흥얼거리노라면 후렴부 가사 '산타루치아' 부분의 오르내림이 재미있었다.

　　'♬ 산- 타- 루- 치- 아'
　　　(미도 도솔 솔미 파레 레)

하고 부르는 부분인데 높은 '미'에서 낮은 '미'까지 내려왔다가 다시 높은 '레'로 올라간다. 성녀 '루치아'가 하늘에서 계단을 타고 내려오다가 다시 위로 날아오르는 기분이라고나 할까, 뭐 그런 느낌이었다. 이탈리아 어느 항구의 가요제 수상곡이라고 배웠기에 부를 때마다 그 나라가 부러웠다. 우리나라에도 이런 가요제가 있으면 참 좋겠다는 어린 생각이었다. 나중에 알아보니 그 항구는 나폴리였다.

그런가 하면 중학 시절 느낌이 슬쩍 배어나는 노래 〈성불사의 밤〉은 고요한 가사에 매료되어, 줄곧 어데 풍경소리 안 들리나 귀를 기울이곤 했으니 바야흐로 음악적 감성의 총체 속으로 들어가고 있었다.

장엄이니 애달픔이니 낭만이니 하는 감성들을 어렴풋이나마 노래로 이해했다. 이처럼 노래는 사춘기 소녀을 키우는 이유식(離乳食) 같은 것이었다. 오늘날 학교 음악이 천시되는 것은 실로 안타까운 일이다. 입시에게 인간 성숙의 고결한 에너지를 빼앗기다니!

사춘기 소년은 노래를 먹으며 탈바꿈되어갔다. 특히 〈장안사〉는 내 사춘기의 첫 이유식이어서 인생 선분에 그어진 의미 있는 표식이 되었다. 아마 누구에게나 이런 역할을 한 노래가 있을 것이다. 그것 하나 고이 간직하며 평생 불러볼 일이다.

말년의 한숨 ♫

1985년 9월, 제대를 8개월 남겨두고 최전방 철책으로 부대이동을 했다. 살벌한 지뢰밭 사이로 서너 시간 행군을 하니 철책이 나타났다. 부대로 들어서자 대낮인데도 확성기 방송이 웅웅 들렸다. 우리의 도착을 아는 걸까? 위대하신 수령 어쩌고 저쩌고 하는데 최전방이라는 게 실감이 났다. 우리 군도 질세라 북으로 확성기 방송을 하고 있었다. 우와, 낮이고 밤이고 웅웅거린다. 생각보다 치열한 전선이었다.

철책 너머로 그 유명한 백마고지가 바짝 붙어있다. 철원평야를 사수하기 위하여 높지도 않은 저 산을 6·25 때 24번이나 뺏고 빼앗겨 양군 도합 15,000명가량 죽었다 한다. 포탄 세례로 둥글둥글해진 능선을 바라볼 때마다 인간에 대한 환멸 같은 것이 아득하게 밀려왔다. 땅거미가 짙어 가면 초병들의 귀에는 밤이 우는 소리가 들렸다.

고지는 밤낮으로 확성기 방송에 취해있었다. 확성기가 철책을 지키는 제2의 군인이었던 셈. 북한은 주로 사상 방송을 하는데 김일성 운운하는 소리는 가당치도 않았다. 이에 반해, 남한은 가요를 내보낼 뿐 사상 방송은 거의 하지 않았는데 체제의 자신감 때문이라고 생각했다. 아무튼 확성기는 최전방 철책 전선을 장악하는 하나의 문화였다. 당시로선 지겹도록 당연했던.

　확성기 소리는 워낙 여러 대에서 동시에 나와 발음을 알아듣기 힘들었다. 하루는 남한 확성기에서 노래 가사 한 구절이 귀에 들어온다.
　'○을로 가는 ○차를 타고 가자, 타고 가자'
　하는 식이었는데 어느 날 서울로 가는 기차로 들리자 귀가 쫑긋해졌다. 영하 30도가 넘는 밤과 싸우다 보면 어서 기차를 타고 부모님 계신 서울로 가고 싶었다. 그 겨울, 병사는 착착 감기는 이 노래에 중독되고 말았다.

밤새도록 지키고 있자니 병사들의 마음에는 달이 뜬다. 어데서 두둥, 간첩 하나 발견되면 사살할 테다, 그러면 황금 휴가를 가겠지, 바로 전역할지도 몰라. 우리는 노루라도 다가오면 쏠 기세였다. 간첩인 줄 알았다고만 하면 된다. 잡으면 포상 휴가다. 실제로 인근 부대서 그렇게 휴가 간 놈이 있다는 소문이 자자했다.

하지만 우리 앞에는 오라는 노루는 안 오고 돌이 날라 왔다. 새벽에 초소로 날아온 돌이라니? 설마 이북 놈들이? 총알이 하늘로 날아간 적도 있었다. 철책 너머 어두운 저편에서 야광탄 하나가 하늘로 발사되었다. 순찰조에 비상이 걸려 달려 나갔다. 내가 바로 순찰조였다. 또 한 발이 발사되었다. '탕!' 황금빛 야광탄이 하늘을 수직으로 찔렀다. 그쪽으로 달렸다. 잠시 후 또 한 발이 아주 먼 데서. 그리고는 끝이었다. 또 북한 놈들이 장난을 쳤다며 씩씩거렸다. 포상 휴가는커녕 아무 일 없기만 바라는 말년의 한숨이 새어 나왔다.

적의 침투 식별이 용이하도록 DMZ(비무장지대)에 들어가 나무를 베라는 연대급 명령을 받고 우리는 죽나 보다 했다. 숲은 지뢰밭이다. 톱이며 도끼를 들고 한 달 동안 해야 하는 작업이었다. 북한군이 사격을 할 수도 있었다. 떨어지는 낙엽도 조심하라는 말년에 이 웬 날벼락이냐? 지뢰 위치 표식을 넘나들 때마다 발이 후들거렸다.

작업 출발을 하려는데 교회도 안 다니는 인간들이 기도를 해달라고 한다. 기도를 하니 40명 모두가 고개를 숙이고 숙연하다. 실제로 옆 부대에선 푸크레인이 부서지고 사람이 1명 죽었다. 매일 기도를 하고 출발하여서인지 우리는 아무 사고 없었다. 그 뒤로 졸병들은 교회 가기가 조금 수월해졌다.

아무튼 이런 일들로 서울 가는 기차 타는 거 무지무지 힘들었다. 제대를 해서 〈서울로 가는 기차〉라는 노래를 알고 싶어 두꺼운 가요책을 뒤져봤지만 그런 제목은 없었다. 15년쯤 뒤 인터넷 시대가 되어 서울로 가는 기차를 검색하니 어찌어찌하는 중 가수 '이재성' 씨가 부른 〈내일로 가는 마차〉가 검색되었다. 혹시 이건가 하고 들어 보니 바로 그 노래였다. 얼마나 반가웠는지 모른다.

그런데 가사가 생각과는 너무 달랐다. 가사 내용이, 슬픔에 빠진 친구를 위로하면서 내일이라는 희망으로 나아가자는 거였다. 아, 얼마나 아름다운 가사인지, 웅웅거리는 확성기 발음으로는 전혀 몰랐던 내용이 아닌가? 그만큼 확성기 발음은 알아듣기 힘들었다. 아무튼, 좋다 좋아! 듣고 또 들었다.

후렴부를 부르자니 당시의 느낌이 후욱 올라온다. '내일로 가는 마차를 타고 가자, 타고 떠나자' 하는 부분의 음률에 철원의 1월, 그 엄동설한 눈 덮인 GOP(남방 한계선 철책 초소) 철책이 떠오른다. 흰 눈 쌓인 백마고지를 바라보며 초소에서 발을 동동 구를 때 멀리서 다가왔던 이 노래.

양말을 세 겹, 군화를 외피까지 세 개 신어도 발이 시렸는데,
성탄 전야 새벽달이 하얘지도록 차를 끓여 초소를 돌았는데,
다가오는 검은 그림자에게 암호를 묻고 답해야 하는 초소 교대병

들은 총알이 장전된 M16 소총보다 매일 바뀌는 암호가 더 무서웠는데,

적과 싸우는지 기나긴 잠과 싸우는지 분간하기 힘든 밤들을 보내노라면 서울 갈 날이 오긴 오는 거야? 했는데.

드디어 1986년 4월 나는 청량리행 기차를 눈물겹게 타고 있었다. 산전수전 다 견디고 부모님 품으로, 서울로 가는 기차, 아니, 내일로 가는 마차를 타고.

에헤라디야 ♫

절친 모임인 '새벽닭 울 때까지'. 닭 울기 전에는 절대로 못 일어서는 모임. 저녁 7시에 물리치료실에 모여서 1차 척추교정 스터디를, 그리고 총각 후배의 옥탑방으로 자리를 옮겨 2차 스터디를 합니다. 우리끼리 하는 말로 브릴리언트(brilliant)한 원서 학습. 2차가 끝나면 밤 11시, 그냥 갈 수 있나, 양장피를 먹더라도 밤샘을 해야지 하고 시작되는 3차 동양화 놀이(?)에서 피박 광박을 맞으면 친구들은 에헤라디야 하고 노래했던 것인데. 그리고 나면 그 사람은 어디서 힘이 나는지 판쓸이를 했으니, 그 전설의 언어 '에헤라디야'.

요즘 나는 이 친구들로부터 인생의 피박, 광박을 이기는 법을 배우는 중입니다. 산전수전을 겪으면서도 충격을 이겨내는 그들만의 에헤라디야의 해학을 말입니다. 건강, 직장, 가정, 재물의 큰 어려움을 겪으면서도 이겨내는 그들의 모습에서 나는 에헤라디야의 철학을 보았습니다.

♫ '에헤라디야'

뱃노래 소리 '디야'가 들어있네요. 그래서인지 말맛이 구수한 멸치 같아요. 흥이 납니다요. 기운을 내자는 맛도 느껴집니다. 아마 흥이 올라 일어나는 기운이겠죠? 그런가 하면 아련한 아픔의 맛도 느껴져요. 어부의 아픔일까요? 내 고향 신안의 노 젓는 노래에도 어김없이 들어있습니다.

> ♫
> (상략)
> 만경창파 노는 멸치 / 어야디야
> 우리 배가 잡어 실세 / 어기야디야
> (중략)
> 이놈 팔자는 무슨 팔자 / 어야디야
> 멸치잡이 웬 말인가 / 어기야디야
> (하략)
> ♫
> (전라남도 시도무형문화재, 〈가거도멸치잡이노래〉, 일부)

'아리랑'도 그렇고 '닐니리야'도 그렇고, 이게 다 우리 가락의 독특한 맛 같죠? 흥도 나고 아픔도 느껴집니다. 거참, 묘한 쌈뽕입니다요.

그런데 여기서 끝나지 않아요.

♬ '에헤라디야'

생을 살아보니 그것은 언어를 넘어 해학이었습니다. 고난 속에서도 허허털털한 자기 극복의 해학 '에헤라디야'.

이것이 그리 좋은지 예전엔 미처 몰랐어요. 젊은 날, 신언불미 미언불신(信言不美 美言不信)의 참뜻을 제대로 알지 못하여 듣기 좋게 말하는 것은 간신의 것이라는 내 사고방식을 어른들은 버르장머리 없다며 싫어했습니다. 건물 외벽에 시뻘겋게 칠을 뿌리면 악덕 사장이 돌아서리라 우린 믿었습니다. 상관의 비 인격에 실망하다가 마침내 의분인 양 대판 싸우고 사직하기도 몇 번이나 했지요.

한 마디로 나에게는 에헤라디야의 철학이 없었어요. 집착과 분노를 조절할 인격이 없었던 것입니다. 저의 문학 동인 시산문(詩散文) 선배님의 말씀이 생각납니다.

"마음도 똥을 싸야 한다."

비움과 여유의 해학을 지녀야 한다는 뜻이겠죠. 바로 에헤라디야의 철학입니다. 삶이 고락의 마술봉을 휘두를 때마다 우리, 에헤라디야 가락을 뽑아보죠. 실패의, 무언가를 잃은 순간에 이 가락을 읊자고요. 인생이 피박 광박을 맞았을 때는 더더욱! 어디선가 일어설 힘이 찾아올 겁니다.

얼마 전 감기인 줄 알고 병원에 갔더니 의사 하는 말이 발성대(發聲帶)가 상했다고 하네요. 하면 기침과 진물이 나면서 가래가 끓는답니다. 제 증상이 꼭 그렇습니다. 나는 본업 외에 지휘도 하고 있는데 아무리 아마추어지만 지휘자가 목이 상하면 끝 아닙니까? 성대 손상이 1년은 간다는데 별 것 아닌 감기로만 생각하고 찾아갔다가 아이쿠야, 된서리 호되게 맞았지요. 가래 기침으로 두 주 간 잠을 설치고 나니 약해지는 내 모습, 50대 후반인데 이제는 나이가 말하는가? 지휘 생활 10년인데 내 생에서 또 하나 접어야 하나? 하는 것입니다.

올 들어 자꾸 약해집니다. 30년 해오던 조기 축구도 못 간 지 벌써 넉 달입니다. 새로운 각오로 2020년을 시작했는데 영 딴판으로 흘러가네요. 아이쿠야, 약 쳐야겠습니다.

에헤라디야, 나의 보약 ♬ '에헤라디야~'!

간이역에 붙들린 시간 ♬

1998년 이사 간 동네에는 간이역이 있어 좋았다. 그런데 역의 이름이 '사릉역(思陵驛)'이었다. '사릉'이라는 이름을 처음 듣고 죽을 사(死) 자가 생각나서 싫었지만 내역을 알고 보니 꼭 그렇지만은 않았다.

역에서 차로 5분도 안 되는 거리에 사릉(思陵)이라는 묘소가 있다. 이곳은 정순왕후(1440-1521)의 능이다. 정순왕후는 15세에 단종의 비가 되었다가 3년 만에 왕과 헤어지게 된다. 1458년 단종이 그의 삼촌인 수양 대군에게 왕위를 찬탈당하고 영월로 유배되면서 두 사람은 생이별을 하게 되었다. 정순왕후는 82세에 생을 마감할 때까지 평생 단종을 사모하였다고 하니 그 한이 이루 말할 수 없겠다. 그리하여 이곳의 묘소 이름을 사모할 사(思)를 써서 사릉이라 칭하게 되었다고 한다.

알고 보면 좋은 이름이었다. 항간의 소문에 의하면 사릉의 소나무들이 단종의 무덤이 있는 영월을 향하고 있다고 하여 직접 가보았다. 묘역에 소나무가 무성하게 숲을 이루었지만 나의 바람과는 달리 영월 방향으로 향하는 건 아니었다. 누군가의 애틋한 마음이 만들어낸 이야기로 보인다.

사릉역은 경춘선 구간에 있다. 2010년 전철이 생기기 전까지 경춘선은 단선이었기에 도중에 반대편 기차를 만나면 기차가 한참을 엉뚱한 데 멈춰서 반대편 기차가 지나갈 때까지 10~20분 정도 기다려야 했다. 그 언젠가 친구들과 기차를 타고 춘천 방향으로 놀러가다가 기다리기 지루해서 '충돌하는 것보다 낫지 뭐' 하면서 우리끼리 낄낄대던 기억이 난다.

사릉역은 출퇴근 시간 외에는 기차가 서지 않고 지나가는 간이역이었다. 역에 서는 기차래야 두 량짜리 〈비둘기호〉였고 다섯 량짜리 〈통일호〉는 그냥 통과했다. 역에는 역무원도 없고 매표실도 없어 무임으로 기차를 타면 승무원이 승객을 찾아와서 발권을 했다. 열차도 짧고 타는 사람이야 열 명도 안 됐으니 그럴 만했겠다.

역에 들어서면 좌측으로 3평 남짓한 역사가 있고 네 줄의 철로 너머로는 작은 동산 숲이 보였다. 역사는 오로지 승객들의 대기소 역할만 했는데 벽에 붙은 열차 시간표가 유일한 역무원(?)이었다. 하지만 플랫폼은 열 량짜리 열차가 충분히 대기할 만큼 길었고 종일 텅텅 비어서 마치 공원 같았다.

시간은 사릉역에선 오로지 철로의 것이었다. 철로에는 시간이 꿈

짝없이 붙들려 있어 역에 가면 언제나 여유가 있었다. 철로는 가수 '이규석' 씨의 노래 〈기차와 소나무〉의 가사처럼 기차가 떠난 뒤 '남겨진 이야기'들을 주섬주섬 쌓아 제법 모이면 자그마한 소나무 몇 그루와 우리 가족을 불러 모았다.

어느 몇 번의 주말에 식구들과 함께 그 초대에 응해 찾아갔다. 지금이야 전철이 들어서서 정신이 없지만 당시만 해도 역사는 오롯이 텅 빈 공원이었고 소나무와 이름 모를 나무 몇이 우리보다 먼저 와서 우리 가족을 맞이했다.

돗자리를 펴고 정오의 밝은 빛을 즐기면서 아무도 없는 간이역에서 뛰노는 아이들은 어린 사슴 같았다. 이따금 아이들이 놀이터 같은 철로를 따라 깡충깡충 건너뜀을 하면 나는 경계병이 되어 혹시나 어느 멍청한 기차가 다가오지 않을까 살폈다. 뛰놀다 노래를 부르면 철로는 악보를 그려내고 몇 안 되는 소나무들은 춤을 추었다.

어느덧 아이들은 청년이 되었고 나는 은퇴를 앞둔 노병이 되어간다. 경춘선 전철이 개통되면서 옛 역은 자전거 도로와 기다란 주차장으로 변했고 또 몇 년 지나 그나마 남아있던 작은 역사마저 사라졌다.

이게 다 시간이란 놈의 짓이다. 이따금 그 자리에 가면 놈을 패대기치고 싶은 마음이 일어난다. 시간이란 이상한 놈이어서 제 맘대로 우리를 끌고 다니지만, 이 간이역에서만은 꼼짝 못하고 붙들려 있었는데……

가끔 그 자리를 서성인다. 책도 읽고 자전거를 타기도 하지만 아스팔트 주차장이 그날의 낭만을 되살려줄 리 없다. 가버린 소나무가 아쉽고 주섬주섬 주워 담던 옛 이야기도 멀다. 우리 아이들의 웃음소리가 저쪽 어디선가 들릴 듯 들리지 않는다. 그럴 때면 시간을 붙들어 맨 그날의 철로처럼 나도 놈을 꽁꽁 묶어놓고 간이역의 여유와 낭만만큼은 절대로 내어줄 생각이 없다고 놈에게 일러 일러 주련다.